"Toutes les réalisations culturelles dont l'homme est si fier, toutes les valeurs spirituelles auxquelles il est tant attaché, ne résultent que de la sublimation de forces instinctives puissamment refoulées, au premier rang desquelles il faut compter le sexe et le tennis."

Sigmund Freud, 1923

Le tennis et la sexualité

Theodor Saretsky

Le tennis et la sexualité

Les écrits secrets de Freud

Traduit de l'américain par Jacqueline Carnaud

Navarin *Seuil*

Titre original :

SEX AS A SUBLIMATION FOR TENNIS,
FROM THE SECRET WRITINGS OF FREUD
(Workman Publishing, New York, 1985)

ISBN : 2-02-009272-7

PRÉFACE

Chacun sait depuis Mao-Tsé-Toung que "la Révolution n'est pas un dîner de gala". La psychanalyse, revue et corrigée par Theodor Saretsky, non plus.

Le tennis et la sexualité, qui vient d'amuser tous les Etats-Unis, est une insolente parodie de Freud et ne respecte rien, laissant cohabiter la référence érudite avec le calembour, pour emprunter à Groucho Marx ce qu'elle ne prête pas à *la Science des rêves.* Un nouveau genre est né : le comique freudien.

Freud, certes, s'intéressa de près au comique. Mais il n'était pas pour autant lui-même très drôle. D'ailleurs, l'histoire type qu'il raconte au début de son article de 1928 sur l'humour est celle d'un condamné à mort. On est lundi, l'homme est conduit à la potence, il s'écrie : "La semaine commence bien !"

Comme on s'en doute, son succès n'étant pas totalement immérité, Freud avait néanmoins beaucoup de jugeote. C'est ainsi que prévoyant Saretsky, il avait finement analysé (on trouve cela dans *le Mot d'esprit et ses rapports avec l'inconscient*) la parodie.

Elle s'attaque en priorité, expliquait-il, à des personnes ou à des objets à qui l'on doit le respect, qui détiennent quelque autorité, qui s'élèvent au-dessus du commun, et ce pour les dégrader. Procédé pour lequel la langue allemande possède l'heureuse expression de *Herabsetzung,* de *herabsetzen* = littéralement : envoyer la balle plus bas que le filet. Or habituellement, continuait-il, quand nous parlons de ce qui est élevé, vraiment important, l'innervation de notre voix se modifie, notre mimique change, tout notre maintien cherche à se mettre au diapason de la dignité que nous évoquons. Bref, nous nous imposons une contrainte solennelle, une dépense psychique supplémentaire. De tout cela, la parodie nous débarrasse : elle nous permet au contraire de prendre nos aises, de faire le familier avec ce qui est supposé nous impressionner, bref elle nous met au repos comme cela se dit dans le langage militaire.

Eh bien, aucun doute, compte tenu du nombre incalculable de vertiges dont se sont toujours plaints les détracteurs de Freud, c'est à une économie d'énergie spécialement rare que nous invite aujourd'hui *le Tennis et la sexualité*.

Psychanalyste, lacanien de surcroît, je pourrais naturellement reprocher à l'auteur d'avoir lu les œuvres complètes de Freud à la lumière de ce qui s'est appelé aux Etats-Unis la psychologie du moi, et d'y avoir trouvé de ce fait ce qu'il y cherchait : un obsédé. Mais je n'y songe même pas, tant fut satisfaite la curiosité que j'avais de découvrir la machinerie de Saretsky, dont je peux dire ici, oui, qu'elle est parfaitement huilée.

Car qu'on y songe ! Depuis bientôt un siècle, toutes les autres vagues qui étaient montées à l'assaut de l'inconscient freudien étaient au contraire redescendues en ayant produit un effet exactement inverse à celui qu'elles escomptaient.

J'ai personnellement pu observer dans les années soixante la fronde méritante de l'anti-autoritarisme, dont les concepts ravageurs dénonçaient "psychanalysme" et "œdipianisation", puis, dans les années soixante-dix, les jets de pilules de la médecine chimique — les progrès de la science devant liquider le désir et son interprétation —, ou encore, plus récemment, les enquêtes à la Harry Dickson qui lancèrent de sympathiques apprentis détectives dans les placards et sous les lits de Freud, à la recherche de son journal secret ou de quelques photos de l'amour clandestin de son père, preuves sacrilèges qui auraient ruiné toute sa théorie. Rien n'y fit : la statue de Freud ne bougea même pas. Et un récent sondage du magazine *l'Ane* qui fit quelque bruit, révéla même que la psychanalyse ne s'était jamais si bien portée.

"L'humour n'excuse rien", disait Stendhal. On n'en demande pas tant. Le livre de Saretsky remplit son contrat parce qu'il fonctionne, lui, en connaissance de cause, comme un symptôme de la psychanalyse et non comme son antidote. Freud pensait apporter la peste aux Américains : ils le lui rendent bien. A chacun de découvrir maintenant ce qu'aurait été le "malaise dans la civilisation" *made in USA,* si on avait découvert plus tôt la thèse explosive de Saretsky que la sexualité est une sublimation du tennis.

Thèse, ajoutons-le pour conclure, que ne contredit peut-être pas celle de Lacan pour qui il n'est rien de plus facile que de sublimer, la sublimation, loin de se réduire à l'art et à la littérature, étant en tout cas chez l'être parlant plus *naturelle* que le sexe.

Gérard MILLER

Avant-Propos

Au printemps 1980, se tint chez Sotheby's une vente aux enchères d'objets ayant appartenu à Sigmund Freud. Collectionneur amateur, j'y fis l'acquisition d'une vieille malle couverte de taches de moisissure. Aussitôt rentré chez moi, je commençai à en inspecter le contenu ; quelle ne fut pas ma surprise de tomber sur les pages jaunies et rongées par le temps d'un manuscrit inédit qui portait ce titre émouvant : *Recueil d'essais de Sigmund Freud sur le tennis* (1938). Le cœur battant, je commençai à lire : "Ce qui suit est un effort pour pousser jusqu'à ses ultimes conséquences ma thèse selon laquelle les plaisirs du sexe sont agréables, mais ceux du tennis durent plus longtemps. Etant donné le climat qui règne actuellement dans le milieu psychanalytique, je doute que quiconque, hormis mes plus proches collaborateurs, auront un jour connaissance de ces travaux. Seul le temps le dira..."

Saisi de respect mais n'arrivant toujours pas à en croire mes yeux, je poursuivis ma lecture : "A l'exception de quelques intimes dignes de confiance appartenant à mon Cercle du mercredi, personne ne soupçonne ma déception grandissante vis-à-vis du sexe, ni que mes écrits sur la sexualité ne sont qu'un leurre destiné à brouiller les pistes et à écarter les loups de mes recherches sur la Pulsion de tennis. Le puissant Désir originaire de tennis et ses vicissitudes bouleverseront la psyché humaine, la forçant à abandonner la pulsion sexuelle, somme toute bénigne, pour quelque chose de beaucoup plus fondamental : la quête effrénée d'un court couvert libre aux heures d'affluence."

Avec un singulier mélange de profondeur et d'originalité, Freud m'entraîna, au fil des pages, dans un voyage étourdissant à travers les contrées inexplorées de l'Inconscient tennistique. Ses premiers textes : *Le moi et le zéro* (1903), *l'Interprétation des rêves de tennis* (1905), *les Fixations masturbatoires et la prise occidentale* (1910), *le Tabou primitif et la faute de pied* (1912) donnent une idée de la passion dévorante qu'il éprouvait pour sa découverte.

La richesse et l'extraordinaire diversité des arguments accumulés dans cette volumineuse collection d'articles, de lettres, d'extraits de son journal et de photographies d'époque (tous consacrés à la Pulsion de tennis et à l'Inconscient tennistique), représentent un défi sans précédent lancé à la communauté scientifique internationale. Je remercie les éditeurs de cet ouvrage de m'avoir proposé d'organiser ces matériaux sous le titre général : *Le tennis et la sexualité dans les écrits secrets de Freud*. Le lecteur saura, de lui-même, opérer une distinction rigoureuse entre des hypothèses hardies mais fécondes (*Psychopathologie du double mixte*, 1923) et des notions demeurées sans lendemain (*L'avenir du service à la cuillère*, 1938). Comme toujours, les intuitions profondes doivent être soigneusement dégagées des ambiguités et des incohérences. Quand il déclare : "Le sexe, de nos jours, c'est de la roupie de sansonnet", Sigmund Freud n'entend pas nous engager dans la voie du célibat sexuel ; il s'agit simplement d'une constatation — à savoir que le sexe n'est plus au cœur de nos préoccupations.

Au lecteur qui ne se résoudrait qu'à grand peine à abandonner le bon vieux schéma sexuel, je ne peux que répéter ce que Freud disait de son tragique destin : "C'était une belle théorie, que les faits ont lâchement assassinée."

Theodor SARETSKY

[...]n vorgelegt und hatte meine Zweifel
aus der starken Beschaffenheit dieses Mann[...]
aber von einer herkömmlichen Methode der
der Ratten auf das Gesäß gebunden wur[...]
hatte, entwickelte ein halbherziges Tennis-[...]
, wurde er vor Furcht gelähmt. Und [...]
entwarf, habe ich noch im [...]
dieser „Sandwich" genann[...]
der Tennisschläger-[...]
Ratten-Verbindung [...]
einen neuen Patien[...]
daß mein Patient [...]
wenn er den Mann[...]
sei so masochistisch [...]
wahrscheinlich zu [...]
mit dem Rahmen [...]

1.
2.
3.

Absurdität dieses Gedankens bewußt[...]
[...]nelle Hilfe gesucht. Als sich der [...]
[...] hatte, löste sich dieser verwickel[...]
[...] der Patient auf dem Tennisschlä[...]
[...] masochistische sexuelle Erregun[...]
[...] Form von Perversion konnte [...]
Und um seine morbide Libido [...]

L'OBSESSION SECRÈTE DE SIGMUND FREUD

Naissance et développement de la théorie sur la Pulsion de tennis

L'engouement de nos contemporains pour le tennis ressort avec éclat de cette anecdote que je tiens d'un de mes amis analystes. L'action se situe en janvier 1983. Une femme raconte à son médecin sa visite à un urologue, en compagnie de son mari qui envisageait de subir une vasectomie. Elle était restée dans la salle d'attente et pensait tranquillement à l'affection et aux délicates attentions dont elle l'entourerait pour l'aider à surmonter son angoisse de castration. A travers la porte fermée de la salle de consultation, elle pouvait entendre la voix douce et réconfortante du chirurgien, preuve qu'il possédait des années d'expérience dans l'art d'apaiser les appréhensions que suscite imanquablement une telle intervention. Tandis qu'elle s'efforçait de se représenter les craintes de son mari : combien de temps devront-ils attendre avant de pouvoir à nouveau faire l'amour, son érection en sera-t-elle affectée, aura-t-il du mal à éjaculer ? — son imagination prit un tour protecteur et maternel.

Soudain, la porte s'ouvrit et le mari apparut sur le seuil, l'expression horrifiée, le visage d'une pâleur mortelle. Pleine de sollicitude, la femme s'approcha de lui, glissa son bras sous le sien et le conduisit dans l'intimité de leur voiture où elle commença à le faire parler dans l'espoir de calmer sa douleur.

— Chéri, de quoi avez-vous discuté pendant si longtemps ? lui demanda-t-elle. Le médecin t'a retenu plus d'une demi-heure.

Le mari avait un air lugubre.

— Eh bien, il a commencé par m'énumérer toutes les complications qui pouvaient survenir. Tu sais, les risques d'inflammation, d'infection et aussi d'irréversibilité. Je lui ai dit qu'il en fallait bien davantage pour m'inquiéter. Tout ce que je voulais savoir, c'était dans combien de temps je serai de nouveau opérationnel. Il m'a répondu qu'il faudrait compter une dizaine de jours et que, de toute façon, je ne devrais pas trop forcer au début. A ces mots, je n'ai pas pu m'empêcher de m'écrier : 'Mon Dieu, mais je ne pourrai jamais attendre si longtemps !'

— Que lui as-tu donc dit de notre vie sexuelle ? demanda alors sa femme plus qu'intriguée.

— Cela ne m'est même pas venu à l'idée de lui en parler, répondit le mari. Je ne songeais qu'à une chose : si je suis privé de tennis, qu'est-ce que je vais faire pendant les vacances ?

Mon ami analyste n'avait pas eu de peine à reconnaître là les symptômes pathognomoniques de la Folie tennistique, cette maladie insidieuse qui a pris des proportions effrayantes dans notre pays. Chaque jour plus nombreux, des hommes et des femmes parfaitement sains et vigoureux renoncent à leurs pulsions sexuelles pour se soumettre à leur Désir de tennis, si bien que le sexe comme sport ou comme passe-temps, professionnel ou amateur, est en passe de s'éteindre, faute d'adeptes.

Une bombe à retardement menace notre civilisation

Les faits semblent donner raison à Freud.* La bombe à retardement que son audace intellectuelle lui avait permis d'anticiper dans *le Déclin de la rage de vaincre* (1908) a fini par exploser. Son intuition des effets potentiellement dévastateurs que ne manquerait pas de produire le refoulement des pulsions les plus primitives en l'homme si on interdisait les smashes au filet, s'est révélée effroyablement prophétique. De même, sa découverte selon laquelle nous étions tous "enfermés dans le même vestiaire, victimes inconscientes d'une forme aiguë de névrose tennistique" s'est imposée, quoique nous en ayons.

Le sexe a perdu sa fonction historique d'opium du peuple. Telles des hordes mongoles rasant tout sur leur passage, les pulsions de tennis ont finalement renversé les frêles remparts de notre civilisation. Avec l'invention des courts couverts et de l'éclairage nocturne, le tennis, contrairement au sexe, a cessé d'être une activité saisonnière. Un livre sur l'abstinence sexuelle a récemment battu tous les records de vente et les parties de tennis du samedi soir ont remplacé les parties de jambes en l'air ; l'*ace* suscite plus d'intérêt que le "point G" et "la vie intime d'une balle de tennis" l'emporte sur "les joies de l'amour" comme sujet de conversation dans les salons.

* Certaines approches thérapeutiques actuelles ont redonné vie à cette hypothèse de Freud. Ainsi, Arthur Janov, l'inventeur de cette thérapie en vogue appelée le Cri primal du tennis, attribue à Freud la paternité de ce cri le plus spontané de tous : "Out !" De même, Albert Ellis, qui a consacré sa vie à l'étude scientifique de la sexualité, reconnaît maintenant publiquement que l'abstinence tennistique est plus terrible que l'abstinence sexuelle (*Raquette en bois et gérontologie*, 1977).

De nos jours, il ne fait plus de doute que le tennis représente une pulsion primaire qui peut, soit culminer dans des pratiques isolées de type pseudo-masturbatoire, telle que la manie actuelle de s'entraîner contre un mur, soit être canalisée vers des formes plus élaborées d'interaction sociale. Lorsque Freud déclara que le sexe n'était que la survivance de quelque névrose tribale, il se trouva des gens pour prendre cette affirmation au pied de la lettre ; en fait, il se livrait à un simple raisonnement par l'absurde pour les besoins de sa démonstration.* En effet, Freud a toujours plaidé la cause du juste milieu. Mais cela n'a pas empêché l'humanité de basculer dans la déraison. Mue par des forces implacables, la Folie du tennis jette une lumière encore plus crue que le sexe sur le combat sans merci que se livrent l'instinct et la civilisation. La plupart des démographes s'accordent à voir dans la multiplication des courts couverts, dans les tenues portant la signature de stylistes renommés et dans la vogue des raquettes *king size*, autant de causes à la baisse de la natalité, ce phénomène qui menace gravement la survie de la cellule familiale et donc les fondements de notre société. Bien plus, il n'est pas jusqu'aux aspects les plus agréables des rêves érotiques (pollutions nocturnes) qui n'aient été affectés par l'utilisation croissante des poignets en éponge.

Pendant que les philosophes s'enferment dans de stériles et interminables polémiques et que les analystes demeurent paralysés par l'ambivalence, nous assistons à un effondrement général des valeurs traditionnelles. Par vagues successives, les puissantes forces instinctuelles libé-

---

* Voir *le Sexe est dans un cul-de-sac* (1902), où Freud montre que si les femmes préfèrent le shopping au sexe, les hommes se prononcent en masse pour le tennis. En 1907, dans *les Aspects auto-érotiques du simple*, Freud alla jusqu'à soutenir que, même sans filet, le tennis pouvait être une source d'intense plaisir.

rées par les récentes découvertes tennistiques déferlent sur le public, et une funeste inquiétude s'empare des masses qui commencent à prendre conscience de ce qu'elles avaient toujours subodoré, mais n'avaient jamais osé admettre : la sexualité est contre nature. On ne peut même pas qualifier les rapports sexuels de perversion ; la réalité est à la fois plus banale et plus tragique ; en effet, il est désormais scientifiquement établi qu'il s'agit là d'un tic nerveux ou, au mieux, d'une compulsion de répétition. Comme Freud le faisait observer à propos de la prolifération (déjà en son temps !) des manuels du type *l'Amour en vingt leçons*, "si, pour accomplir l'acte sexuel, il faut avoir recours à d'épais volumes décrivant par le menu la meilleure façon de s'y prendre, alors on peut dire sans risque de se tromper que le sexe n'est ni plus ni moins qu'un hobby, au même titre que le bricolage" (1911).

Des variétés entièrement nouvelles de névroses et de psychoses font leur apparition dans toutes les couches de la société : la Dépression dominicale (due à la perspective d'un week-end sans match), le Tennis interruptus (dû à la peur lancinante que la cloche ne sonne au milieu d'un set), la Narapoïa tennistique (forme de défense essentiellement régressive contre la paranoïa, caractérisée par un délire spécifique dans lequel le sujet s'imagine que ses adversaires prennent un malin plaisir à faire des balles pleines lignes) et, enfin, le syndrome de Deuil tennistique (dû au choc causé par la perte d'un conjoint victime d'une forme suraiguë de Folie du tennis).

Même les analystes ne sont pas épargnés et présentent des symptômes analogues à ceux de leurs patients. Comment dès lors interpréter de façon objective les manifestations pathologiques induites par le tennis, si l'on est soi-même irrésistiblement attiré par ce sport ? Presque tous les analystes reconnaissent éprouver les tourments d'une secrète jalousie, lorsqu'ils s'efforcent d'expliquer en termes pondérés à leurs patients qu'en participant à des tournois le dimanche matin et en abandonnant le lit conjugal dès l'aube pour aller s'entraîner de 7 à 9 en semaine, ils ne cherchent qu'à éviter les rapports sexuels et se comportent de manière irresponsable envers leur travail et leur famille. Ils ont beau jeu ces analystes qui font appel au sens moral, à la maturité et à la bonne conscience de leurs malades, alors qu'assis dans la pénombre de leur cabinet qui sent le renfermé et le tabac refroidi, ils regardent avec nostalgie s'enfuir leur jeunesse et ne rêvent qu'à se défouler sur un court. Pour la première fois dans l'histoire de la psychanalyse, la névrose semble recéler beaucoup plus d'attrait que la cure. Le plaisir que l'on retire à discuter raquettes et cordage (sans oublier le gant comme moyen prophylactique), à dénigrer ses adversaires aussi bien que ses partenaires, et à se plaindre des manœuvres auxquelles donnent lieu les doubles mixtes, est certainement plus proche du vécu de chacun que tous les échanges de propos éculés sur les malheurs conjugaux ou les dysfonctionnements sexuels.

Ayons le courage de le reconnaître, l'Obsession du tennis s'est emparée de nous et mine les fondements de notre société. Si nous arrivions à prendre du recul, nous pourrions peut-être nous faire une idée plus claire du caractère brutal et inexorable de la Pulsion de tennis et accepter celle-ci comme une donnée inséparable de la vie. Mais d'abord, opérons un retour en arrière ; plaçons-nous dans une perspective historique et essayons de retracer l'élaboration progressive d'un concept : *der Ursprungliche* (l'Envie du tennis).

Freud souffrait-il de dérangement mental ?

Certes, Sigmund Freud était un être de chair et de sang et possédait une personnalité aussi complexe que tout un chacun. Mais ce que l'on sait de sa vie privée, grâce à ses écrits et à sa volumineuse correspondance, donne à penser que ceux qui voient dans ses théories l'expression d'une sexualité débridée ou lui attribuent une activité tennistique aussi secrète que scabreuse prennent l'agneau pour un loup. Trois lettres datant des années mouvementées 1901-1903 nous font pénétrer dans l'intimité du maître et nous permettent d'entrevoir quels étaient alors ses véritables sentiments.

Le 17 juillet 1901

Cher Dr. Jones, *

Je vous écris en tant qu'ami personnel du Professeur. Je ne le vous cacherai pas, il m'inquiète. Ces derniers temps, j'ai cru remarquer de l'impatience dans le ton de sa voix et une nervosité inhabituelle chez lui. Une inquiétante étrangeté se lit sur son visage chaque fois qu'il évoque la question du tennis. Lui d'habitude si rigoureux et scientifique dans ses formulations, semble traverser une passe difficile. Il parle avec une telle conviction du tennis et de ses vicissitudes, qu'il me fait parfois

* Ernest Jones est surtout connu aujourd'hui pour sa biographie érudite de Sigmund Freud. Jeune analyste, cependant, il s'était déjà acquis une certaine réputation en fuyant l'Angleterre pour le Canada, à la suite d'un scandale dû aux méthodes contestables qu'il prônait pour le traitement des jeunes enfants. En 1928, il fut expulsé du Canada pour avoir introduit sur le Continent nord-américain une version abâtardie du double homologué, le Double canadien qui se joue à deux contre un. Les autorités de ce pays eurent tôt fait de percer à jour cette tentative à peine voilée d'attirer d'innocentes victimes dans les filets de ce vice typiquement européen : le ménage à trois. Le Dr. Jones fut prié de se maîtriser jusqu'au départ du prochain bateau, sous peine d'emprisonnement.

l'effet d'un converti de fraîche date. Si ce n'était sa réputation et la grandeur de ses travaux passés, je me poserais des questions quant à son équilibre mental. Préférant adopter une attitude attentiste, je me suis armé de patience. Mais, la semaine dernière, figurez-vous que le Dr. Freud m'a murmuré à l'oreille : "Rendez-vous sur le court de tennis dimanche matin à 7 h 30 et surtout n'en dites rien à personne". Dans l'attente d'une réponse qui m'éclairerait sur la façon dont je dois interpréter cette proposition,

M. Chasen

Le 12 septembre 1901

Cher Dr. Pfister, *

La civilisation représente la somme de tous les accomplissements et de tous les mécanismes de régulation qui distinguent notre vie de celle des animaux, nos ancêtres. Le devoir, la propreté et l'ordre occupent une place particulière parmi les exigences de la civilisation. Rien ne me semble mieux caractériser la culture et son raffinement que l'estime et les encouragements dont bénéficient les plus hautes activités intellectuelles, scientifiques et artistiques de l'homme, que la prééminence accordée au rôle des idées. Comment se fait-il donc que quelque chose d'aussi élémentaire que cette Folie du tennis puisse à ce point troubler mon esprit ? J'en ai perdu le sommeil, l'appétit et tout intérêt pour mon travail. Je suis obsédé par le désir d'échapper à la vigilance de Martha et d'Anna ; je rêve de pouvoir m'ébattre sur un court comme n'importe lequel de mes concitoyens. Malheureusement, mes patients m'obligent à me montrer à la hauteur de ma réputation de Herr Doktor ; mes proches n'arrêtent pas de changer de place les meubles de mon bureau (ils n'arrivent pas à se mettre d'accord sur l'endroit où devrait se trouver le divan et où il conviendrait que je m'asseye) ; bref, je n'ai pas le loisir de penser à moi. A propos, savez-vous que je suis finalement parvenu à cerner l'origine du

* Pasteur protestant, Oskar Pfister fut l'un des premiers à se rallier à la théorie sur la Pulsion de tennis. Il est surtout connu pour son ouvrage d'une haute tenue spirituelle, *Dieu est mon partenaire en double*.

conflit entre mon désir de gloire et mon érotisme urétral (envie d'uriner dans la chambre de mes parents et de dire à Martha de me laisser tranquille). * *Le fait que mon père ne me laissait pas jouer à "A dada sur mon baudet" comme tous les autres petits garçons, y est sans doute pour quelque chose.*

Votre cordialement dévoué,
Sigmund Freud

Photographie d'époque montrant Freud à mi-court préparant une volée, l'un des meilleurs coups, dit-on, de son répertoire (remarquez sa farouche détermination, sa jubilation triomphante). D'après la quasi totalité des experts, s'il n'avait pas été accaparé par d'autres intérêts, Freud serait certainement devenu un joueur classé.

* Dans un article posthume intitulé *Faites confiance à Sigmund*, Pfister évoque le génie de Freud à sublimer de mauvaises habitudes (énurésie nocturne, érotisme urétral, etc.) en des pratiques socialement utiles. Ainsi, son fameux test du "bon sens" pour choisir, sans en avoir l'air, un bon partenaire en double : "Allez aux toilettes de votre Club, conseillait-il, et repérez l'homme au flot urinaire le plus constant et le plus dru. C'est beaucoup plus efficace que de s'en remettre au hasard".

Le 7 août 1903

Mon très cher Pfister,

Comme vous le savez, je ne pourrais concevoir une vie sans travail. Jusqu'il y a peu, je ne trouvais plaisir à rien d'autre, ou presque. Ce n'est donc pas sans étonnement et, disons-le, sans une pointe d'envie que je regarde mes patients et bien de mes collègues passer de longues heures à suer et à se démener sur un court de tennis tout en continuant, en apparence, à travailler normalement. Leur manque de sentiment de culpabilité me sidère.

En général, lorsque je ne peux m'adonner à des plaisirs mondains, je bâtis une théorie pour expliquer en quoi les gens qui s'y livrent sont des névrosés. Cette fois, cependant, mes défenses contre l'Instinct de tennis s'effondrent une à une. * *Ayant conduit sur moi-même une analyse approfondie, je suis contraint d'admettre que vouloir nier les joies du tennis n'est qu'une manifestation de haine et de jalousie. Aussi bonnes et aussi prévenantes soient-elles, j'aimerais pouvoir échapper à l'emprise de Martha et d'Anna, qui me tapent sur les nerfs avec leur sérieux et leur sens pratique. Toutefois, j'ai peur d'avoir l'air ridicule en shorts, et une superstition morbide m'empêche de franchir les lignes blanches. Les plaisirs charnels éprouvés par les adeptes de ce sport ont touché, tout au fond de moi, une corde sensible. Je suis tenté de concilier cette vogue apparemment irrésistible avec mes anciennes théories sur le cannibalisme et les pulsions d'auto-destruction, mais telle est la beauté de ce sport qu'elle défie les solutions névrotiques faciles.*

Votre Freud

* Ce jour-là, Freud consigne dans son journal son rêve de la nuit précédente dans lequel il voyait un panneau portant cette seule inscription : ''Interdit de marcher sur la pelouse''. Il l'interprète comme une injonction tennistique plus puissante que les Dix commandements, plus impérieuse que le tabou de l'inceste. Plus tard, A. Romer ajoutera ce commentaire drolatique : ''Comment expliquer autrement l'impopularité du tennis sur gazon ?''.

Grâce à l'analyse de ses propres rêveries, Freud découvrit que les rêves de tennis se rapportaient invariablement à des expériences infantiles marquantes. Il s'aperçut également que le tennis prenait peu à peu la place du sexe dans son usine à rêves personnelle. Ce déplacement inattendu de son énergie psychique captiva son imagination au point, dit-il, "de ne plus être capable d'une attention soutenue pour des travaux théoriques aussi importants que la physiologie des glandes sexuelles chez les anguilles... Les idées me viennent et s'évanouissent ; le doute m'envahit." Le 12 juillet 1897, il confiait à son bon ami Fliess : "J'ai l'impression d'être dans un cocon. Qui sait quel monstre en sortira. J'ai eu toutes sortes de pensées fugitives au cours de la journée, mais maintenant elles ont disparu. Je dois attendre la prochaine im-pulsion, qui les ramènera." Et quelque temps plus tard (le 4 septembre 1897) : "J'ai eu une sorte de crise névrotique, accompagnée d'impressions bizarres, inintelligibles pour la conscience — des pensées brumeuses, de vagues pressentiments, avec à peine ici et là un rai de lumière."*

Un autre événement décisif se produisit le 21 novembre 1897. Dans une lettre adressée à Loretta Norelsky, la seule femme admise au Cercle du mercredi, Freud décrit ce que plus tard on appellerait le Fantasme originaire du tennis. "J'ai fait un rêve éveillé dans lequel je voyais un petit

* Wilhelm Fliess était le plus proche ami de Freud et son confident aux temps héroïques de la psychanalyse (1894-1904). En 1897, Fliess publia *les Relations entre le nez et les organes génitaux féminins, présentées selon leurs significations biologiques*, ouvrage devenu un classique dans lequel il démontrait que les règles douloureuses ou irrégulières étaient dues à la masturbation ("Dans de tels cas, le seul traitement connu est l'ablation du nez"). Chose incroyable, Freud demeura longtemps persuadé que ce brillant charlatan avait mis le doigt sur une vérité essentielle. Ce n'est qu'à la suite d'un pénible incident qu'il comprit que Fliess n'avait pas toute sa tête et pouvait même se révéler dangereux. La rupture fut définitivement consommée en 1904, lorsque Fliess publia un ouvrage intitulé : *Les méfaits du céleri.*

garçon debout dans un couloir de double, tandis que deux spectres vêtus de blancs caracolaient non loin de lui. Je venais à peine de me reconnaître dans cet enfant observant ses parents en train de jouer au tennis, qu'une terreur m'envahit, m'empêchant de franchir la ligne de côté. Lorsque je me réveillai en sursaut de cette expérience bouleversante, je sus immédiatement que j'avais fait une découverte prodigieuse."

Ce jour-là, Freud exécuta un contre-pied magistral qui allait faire basculer sa vie. Rompant brutalement avec sa vision classique de la sexualité infantile comme fondement de la condition humaine, il résuma sa pensée dans ce puissant aphorisme : "Les vérités du tennis sont omniprésentes ; elles sont l'essence de l'existence."* Des hypothèses plus fécondes les unes que les autres se pressèrent en foule aux portes de sa conscience : le refoulement des conflits incestueux procédant du jeu au filet, les facteurs œdipiens responsables des doubles fautes, l'homosexualité refoulée associée à une faiblesse congénitale du revers, le fantasme résiduel de la raquette percée. Mis dans la confidence, plusieurs confrères apportèrent leur lot d'observations à l'appui de sa nouvelle théorie de l'inconscient tennistique. Dans un article intitulé *la Bisexualité et le double mixte* (1904), L. Katz démontra avec brio que cette perversion ne soulevait pas tant un problème d'inadaptation sociale, que de choix de coéquipiers. A l'occasion d'une révision ultérieure de son schéma théorique, il en vint à reconsidérer les avantages respectifs de l'homosexualité et du double mixte ; écoutant le conseil avisé de

* Il y a cependant un excès auquel Freud réussit à mettre le holà. En 1922, un intérêt nécrophile pour l'incinération s'empara de l'Autriche. Submergées de demandes en provenance de mélancoliques du tennis qui souhaitaient qu'après leur mort, leurs cendres soient dispersées sur les courts, les autorités autrichiennes, avec la caution scientifique de Freud, mirent un terme à cette pratique en arguant du fait que cela bosselait les surfaces et entraînait de faux rebonds.

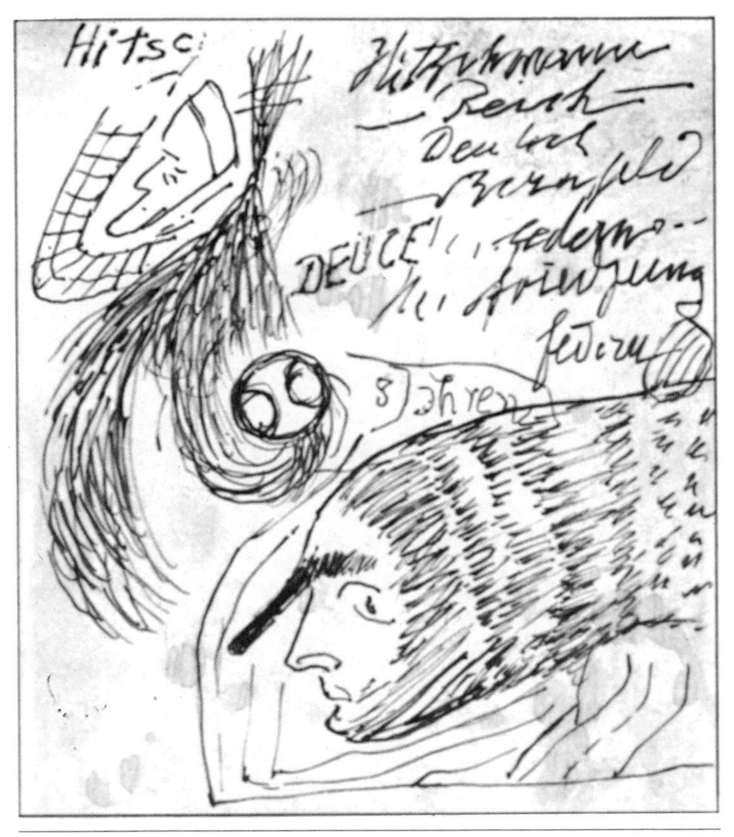

Dessin autographe de Freud illustrant la naissance de sa Théorie de la Pulsion de tennis. "Elle est venue à moi toute armée dans un rêve", se souvient-il dans l'Interprétation des rêves de tennis *(1905). "Je voyais un homme emporté par une puissante tornade ; des forces mystérieuses semblaient jaillir du plus profond de ses entrailles. Soudain, son front s'orna d'un étrange objet que je ne parvenais pas à identifier. C'est alors que je distinguai le mot "Frapsh". Perplexe, je ne cessai de me le répéter jusqu'à ce que, finalement, je réussisse à en déchiffrer le sens : "Frappe la balle !". Aussitôt, je reconnus dans cet étrange objet le manche d'une raquette de tennis. Tous ces indices étaient si lumineux que je ne pouvais les ignorer plus longtemps. Ainsi frappai-je aux portes de la destinée..."*

Freud (“Les doubles mixtes finissent en rixes”), Katz opta finalement pour l’homosexualité. Un analyste gaucher non-orthodoxe, W. Wilner, parvint à la conclusion surprenante que le mot tennis épelé à l’envers donnait en anglais “sin-net” (péché-filet) ; il fit part de cette révélation à Freud qui y vit une éclatante confirmation de l’exis-

Freud a lui-même passé commande de ce dessin (1923) à J. Fishman, afin que l’artiste dépeigne les terribles frustrations d’un enfant, trop petit pour pouvoir jouer mais déjà assez grand pour rêver et se poser des questions.

tence de forces diaboliques enterrées vivantes dans l'âme humaine.

Toutefois, se souvenant de l'avalanche d'insultes et de sarcasmes que lui avaient valu ses hypothèses comparativement bien anodines sur l'inceste, l'angoisse de castration et tutti quanti, Freud décida d'attendre que le climat intellectuel devienne plus propice à la publication de ces nouveaux résultats. Il rechercha auprès de ses fidèles du Cercle du mercredi le soutien moral dont il avait besoin pour aller de l'avant et affiner son analyse du tennis, sans s'égarer dans les détours et les retours de l'inconscient tennistique. Pourtant, même à l'intérieur de ce saint des saints, la fertilisation croisée se révéla difficile. Certains de ses disciples n'hésitèrent pas à faire courir le bruit selon lequel sa révoltante théorie de la Séduction du tennis n'était qu'une invention grotesque issue d'un esprit autrefois distingué, mais aujourd'hui dévoyé. Même ses partisans les plus farouches eurent du mal à cacher leur surprise, lorsqu'il suggéra que le spectacle des parents jouant au tennis était source d'hyper-excitation et de trauma pour les jeunes enfants. Devant leur consternation, Freud dut se rétracter.

Le message de vérité qu'il brûlait d'annoncer au monde pouvait se résumer ainsi : héritier d'une grande tradition humaniste, l'homme occidental aspire à une satisfaction pure de toute souillure que symbolisent, sur les courts, la blancheur virginale des tenues, la chaleur bienfaisante des rayons du soleil et la douce caresse de la terre battue sous la plante des pieds. (Il avait une interprétation quelque peu différente pour les courts couverts et les surfaces quick). L'homme, cette créature aux aspirations simples et aux gratifications élémentaires, est mû par l'absurde nostalgie d'une enfance heureuse et paisible : ''Il ne désire rien d'autre qu'un espace clos où s'amuser tranquillement. Le bon mariage est celui qui tient la femme suffisamment occupée, si bien que le mari peut jouer au tennis tout son soûl sans éprouver le moindre sentiment de culpabilité. Si, en outre, cet homme est capable de se décharger de ses responsabilités et de fixer sa libido sur la balle sans se laisser distraire, on peut dire qu'il a atteint un parfait équilibre psychique et profite pleinement de l'instant présent.'' Pour Freud, cette conception de la nature humaine représentait la voie royale vers la découverte de l'inconscient et la clef de voûte de l'édifice psychanalytique. Le choix du court de tennis comme terrain privilégié de l'investigation scientifique de la psyché humaine (*Le nirvana à portée de main : deux heures de tennis et un bon cigare*, 1908) marqua un point de non-retour pour la psychanalyse.

Dès lors, Freud abandonna les dispositifs abstraits et maladroits de la métapsychologie pour se consacrer entièrement à l'étude des comportements aberrants sur les courts de tennis. Ainsi, son concept décisif de Tennis interruptus, qui marque l'aboutissement d'une vie consacrée à la recherche, a permis de comprendre que la névrose résultait d'un blocage, d'une rétention d'énergie : ''Prenez un individu submergé par son travail, pressé par ses obligations familiales ou contraint à une intense activité sexuelle au point qu'il ne peut s'adonner autant qu'il le faudrait au tennis ; la tension qui en résulte se transforme, au niveau du subcortex, en angoisse.''

Malgré les railleries et les accusations de dépravation dont il faisait l'objet, Freud continua d'approfondir sa théorie avec une ardeur sans faille et un indomptable courage. A K. Burger, il écrit : ''Je comprends pourquoi les gens me prennent pour un psychopathe obsédé par le tennis. Leur aversion ne fait que masquer leur effroi. La découverte du puissant désir originaire de tennis et de ses viscissitudes a eu pour effet de déplacer le fondement de la vie psychique, des pulsions sexuelles relativement bénignes vers le Désir de tennis, plus primitif. En sapant la croyance orthodoxe de l'homme occidental, je crains d'avoir ébranlé le délicat équilibre de la nature. Néanmoins, je reste insensible au déluge de calomnies qui s'abat sur moi. Mes ennemis peuvent se moquer de mes doctrines le jour ; la nuit, je suis sûr qu'ils en rêvent.''

Cependant, l'hostilité ambiante et le sentiment d'avoir fait fausse route (*Mon retour à la terre battue*, 1909), mirent momentanément un frein à sa témérité et l'obligèrent à emprunter des voies obliques. Avec l'aide d'une cellule de crise composée de sept fidèles d'entre les fidèles, il entreprit la publication d'une série d'articles sur la sexualité infantile et ses formulations œdipiennes (*Projet d'étude scientifique du sexe*). Ainsi, grâce à cette subtile manœuvre de diversion, il put continuer à peaufiner dans le secret le plus absolu sa théorie bien-aimée de la Névrose de tennis. C'est dans ce climat fiévreux qu'il conçut ces grandes œuvres clandestines que sont *Quelques perversions sexuelles révélées par le revers à deux mains* (1910), *l'Envie du pénis et la raquette Prince* (1912), *Passions charnelles et coups foireux* (1913).*

Il ne fait pas de doute que le splendide isolement auquel il fut contraint stimula son imagination créatrice et lui permit de se hisser jusqu'à des sommets inégalés. Au cours de l'hiver 1914, divers travaux réalisés à l'Institut de psychanalyse du Tennis de Riemerlehen vinrent confirmer

* Dans ce travail d'une portée exceptionnelle, Freud analyse l'étrange compulsion qui pousse les joueurs à mesurer sans arrêt la hauteur du filet. ''Pas tous les hommes croient que leur pénis rétrécit avec l'âge ; pas toutes les femmes souffrent de l'envie du pénis ; par conséquent, nous ne pouvons nous contenter d'une simple explication sexuelle au plaisir pervers que procure cet acte. Certes, le désir rarement réalisé de devenir arpenteur est extrêmement répandu, mais cela ne peut pas non plus rendre compte de la totalité des cas cliniques parfois extrêmement graves que nous sommes amenés à traiter. Si on élimine ces deux grandes pulsions instinctuelles, nous sommes forcés d'admettre la réalité de cette hypothèse, de nature il est vrai paranoïde : le filet est toujours plus haut de son propre côté du court que de celui de l'adversaire.''

NAISSANCE DE LA THÉRAPIE DE GROUPE PAR LE TENNIS

Un immense hangar situé dans la petite localité de Bad Hombourg, à environ 200 kilomètres au sud-est de Vienne, abritait les installations montrées ci-dessus. En 1973, comprenant l'intérêt touristique de ce site, le gouvernement autrichien décida d'y installer le Musée national autrichien des névroses de tennis (à Mecklenbourg, tournez à gauche et prenez la route de Schwevian ; roulez pendant 11 km, puis tournez à droite en direction de Heligendamin).

Le Schloss Belle Vue, établissement pour les incurables du tennis, situé dans les environs de Vienne (1897). Grâce au travail qu'il accomplit au début de sa carrière avec des cas désespérés de dégénérescence tennistique héréditaire, Freud se familiarisa avec les grands secrets de l'Inconscient tennistique (“Les forcenés du tennis ont finalement les mêmes désirs que le commun des mortels ; la seule différence est qu'ils en abusent.”)

L'Institut de Psychanalyse du Tennis fondé par Sigmund Freud en 1906. Las de travailler avec les hystériques des salons viennois qui formaient l'essentiel de sa clientèle, Freud ouvrit, avec l'aide de quelques collaborateurs triés sur le volet, cette clinique clandestine exclusivement consacrée à l'étude et au traitement de la *Tennis-neurose* (Névrose de tennis). Ci-dessus, l'antichambre où les patients attendaient avec anxiété l'heure de leur séance sur le court.

ses plus sombres pressentiments : "Le lob défensif ne vient pas seulement compenser la petitesse d'un pénis ; il en est peut-être aussi la cause.* Pourtant, même au cours des années suivantes, Freud, en scientifique discipliné, maîtrisa ses frustrations et ne fit part de ses observations hérétiques qu'à ses plus proches collaborateurs.** Une vision aussi prophétique que celle qui s'exprime dans ce célèbre aphorisme : "Aujourd'hui, le sexe, c'est de la roupie de sansonnet" (1923) et son article inoubliable, bien que très controversé, *la Fellation et la volée courte* (1923), contredisaient tellement sa réputation de "pansexualiste" qu'il dut se résigner à forger de nouveaux concepts dans le secret de son cabinet, en attendant des jours meilleurs.

---

* L'un des grands succès thérapeutiques de Freud durant cette période concerne le cas de Werner von O. Cet homme souffrait d'un douloureux symptôme sexuel : il manquait systématiquement sa femme et pénétrait la taie d'oreiller. S'appuyant sur l'une des vérités essentielles du tennis, à savoir que le filet est toujours plus bas au centre que sur les côtés, Freud conseilla à son patient de fantasmer un filet mal tendu chaque fois qu'il entrerait en action. "Non seulement cela vous excitera, dit Freud au Prussien ébahi, mais cela améliorera aussi la précision de votre tir". Merveille des merveilles, le symptôme disparut comme par enchantement — mais W. von O. ne réussit jamais à maîtriser son jeu de jambes.

** Ainsi, dans *Aladin ne donnait pas sa lampe aux chats*, Freud commence par mettre l'accent sur la corrélation relativement innocente entre le *backswing* et la masturbation (première version, 1897), pour déboucher sur une investigation plus poussée d'une pratique fétichiste très populaire à l'époque victorienne, l'utilisation détournée de housses de raquette munies de fermetures à glissière (seconde version, 1922).

"Le court est mon divan"

Une science nouvelle était en gestation. Avec la bénédiction de Freud et sous sa direction personnelle, le Cercle du mercredi, renforcé par un bataillon d'analystes débutants, entra dans l'ère de la Pulsion de tennis. Eperonnés par l'infatigable énergie du Maître, inspirés par son dernier écrit en date, *le Court est mon divan* (1924), ces premiers zélotes se mirent en devoir de tester le destin de l'humanité dans ce champ clos expérimental privilégié qu'est le court de tennis.*

Jusque là, Freud s'était naïvement laissé enfermer dans son rôle de médecin dévoué corps et âme à sa vocation : "soigner et guérir". Quelles que fussent ses convictions par ailleurs, seuls comptaient les résultats sortis du divan. Toutefois, avec le développement de la Pulsion de Tennis, il fit subir à sa technique un tournant radical. Pour des raisons de stricte commodité, il avait toujours conçu l'analyste comme un observateur extérieur qui écoutait les souvenirs de ses patients, les décortiquait et les interprétait, sans jamais s'impliquer personnellement. Certes, le transfert, le contre-transfert et l'assoupissement post-prandial, faisaient parfois obstacle au progrès de la cure, mais c'était là, estimait-il, des inconvénients mineurs que l'on pouvait aisément surmonter en faisant preuve de doigté, de bon sens et de discipline.

Dès lors, Freud allait adopter une approche plus audacieuse. Comprenant que l'absence d'amour parental, qui se manifeste chez les parents par une ambivalence des sen-

* Les célèbres études de cas que Freud nous a léguées sont de véritables chefs-d'œuvre. Qui pourra jamais oublier *l'Homme au boyau, Hanna O., l'Homme au Filet, Petit Manche, le Racketteur* (également connu sous le titre "L'homme est un loup pour l'homme") ? Cet extraordinaire patchwork d'observations cliniques disparates témoigne pour la postérité de la tragique solitude du joueur de tennis.

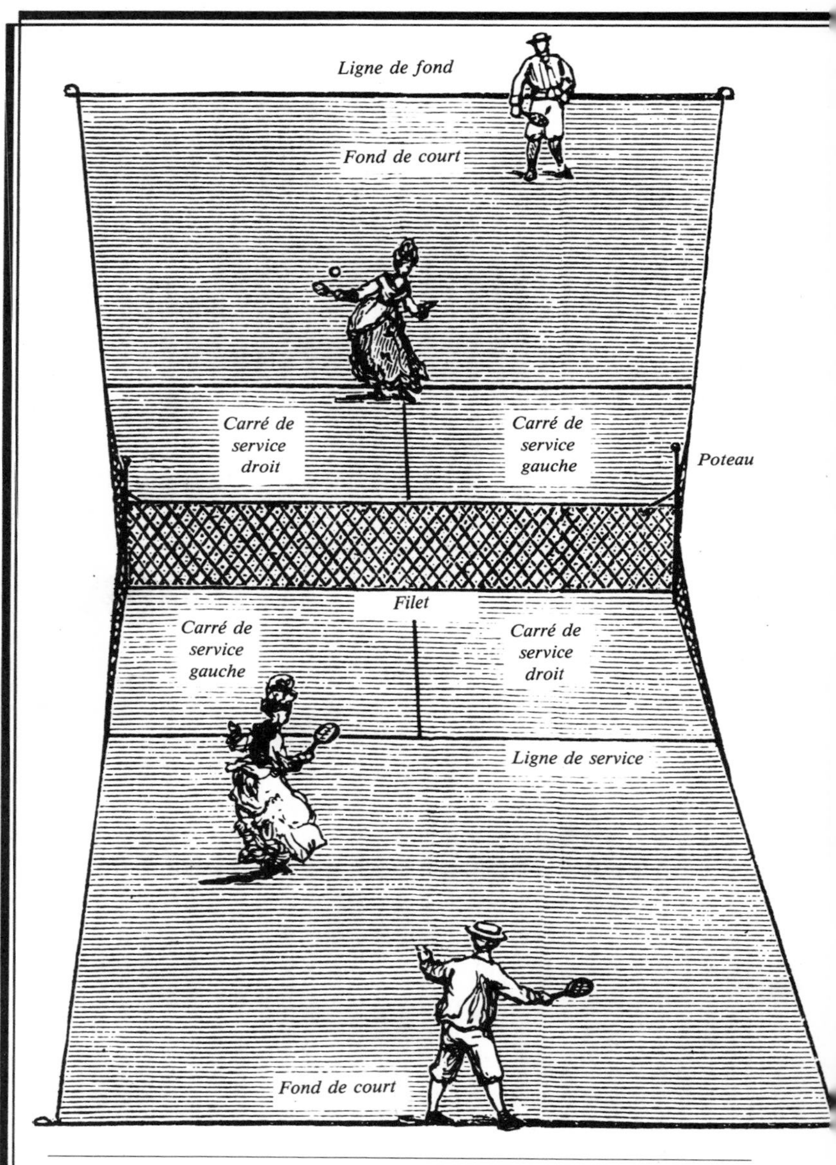

Le court de tennis tel qu'il était homologué avant Freud.

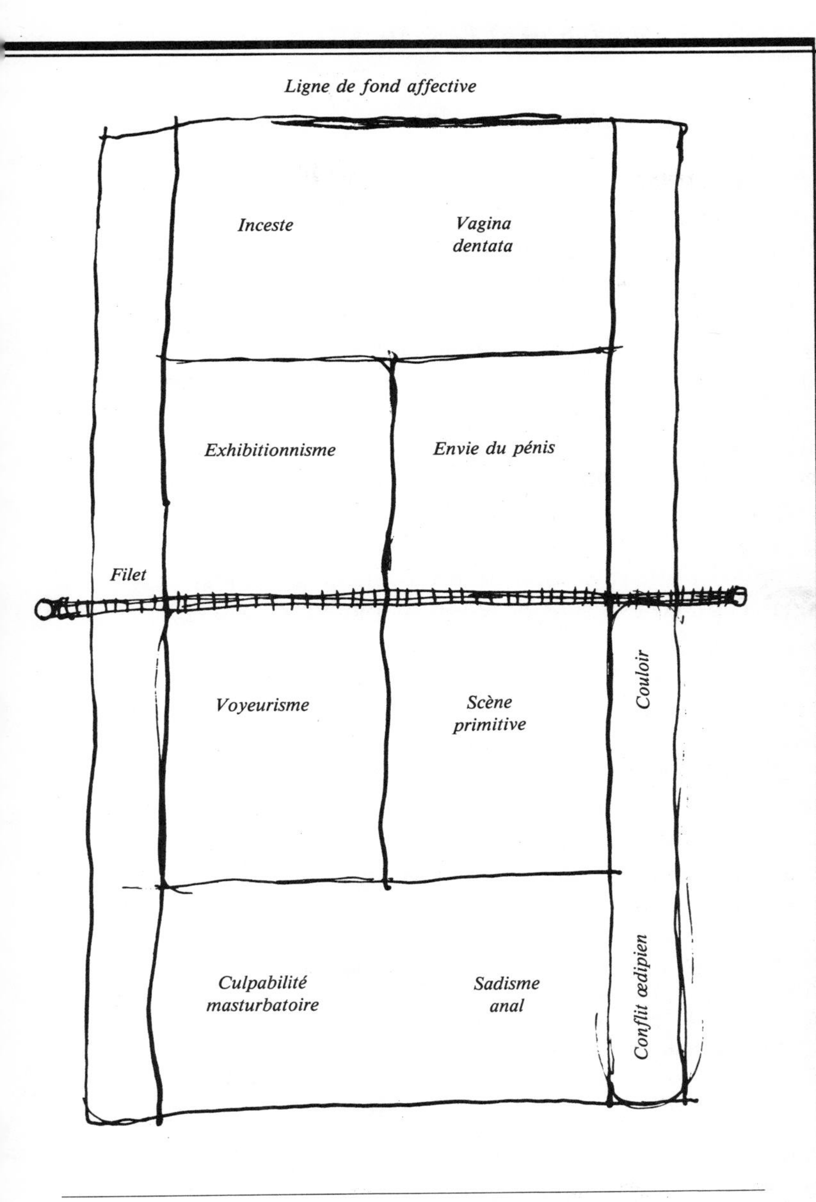

Le court de tennis en termes psychologiques dessiné par un artiste anonyme d'après les indications personnelles de Freud.

timents lorsque leurs enfants leur proposent de jouer au tennis, était éminemment anxiogène, il exhorta l'analyste à modifier sa pratique et à se rapprocher de ses patients. Lentement mais sûrement, ses principes les mieux enracinés cédèrent la place à un intérêt croissant pour les menus événements de la vie tennistique du sujet : les frustrations et les traumatismes qu'il avait subis, les diverses raquettes dont il s'était servi — leur cordage, leur poids, les tensions auxquelles elles étaient soumises — où et quand il avait acheté son équipement, quelle était sa tenue vestimentaire préférée, qui étaient ses partenaires et ce qu'il ressentait sur le court.* Enfin, Freud effectua un grand bond en avant le jour où il osa affirmer de façon catégorique : "Le seul moyen de vraiment connaître ses patients est de jouer au tennis avec eux".

Loin d'être le résultat d'un mouvement d'humeur passager, cette courageuse décision — pénétrer dans le jeu du patient afin de procéder à des observations sur le vif — reposait sur de solides données cliniques. Stimulé par le rêve devenu célèbre d'Otto M., dans lequel une raquette symbolisait l'être humain et une partie de tennis, sa condition terrestre, Freud eut cet éclair de génie : "La vie est dans le tennis, le tennis est dans la vie". Où, si ce n'est sur un court, pouvait-on parvenir aux profondes racines inconscientes du complexe d'infériorité devant les grosses têtes,* du plaisir érotique que procurent les odeurs

---

* Cette nouvelle méthode d'investigation clinique permettait de dévoiler les plus infimes événements de la vie tennistique du patient, ses habitudes les plus secrètes, ses pensées les plus intimes. Elle était si redoutée et redoutable à l'époque, que Freud eut un jour cette observation : "J'en viens à me demander si un médecin, aussi intègre soit-il, a le droit moral de recourir à cette technique".

---

* Margaret Mead et l'Anglaise Phyllis Fitz-Hume ont traité cette question dans leur ouvrage superbement illustré : *Chasseurs de têtes en Nouvelle-Guinée et à Wimbledon : Essai d'ethnographie comparée* (1973).

de vestiaires, de la répugnante compulsion anale qui pousse l'homme à s'essuyer le front de la main nue ? Le passage à l'acte de rivalités fraticides inconscientes d'origine infantile (faire mine d'avoir oublié le score) et le fondement psychosomatique honteux du *tennis elbow* étaient si affligeants que Freud hésita plus d'une fois à aborder ce sujet dans ses articles. (Un jour, il confia à Fred Adler : "Pareil inconscient est indigne d'un vrai gentleman.")

C'est vers cette époque (1924) que Freud commença à citer Erasme, "Un grain de folie est indispensable à la félicité", et à répéter, chaque fois que ses collègues contestaient la validité de ses théories les plus osées, "*Das ist mir ja ganz egal*" ("Je n'en ai cure !"). D'après la majorité des psycho-historiens, cette attitude montrerait que, sur ses vieux jours, Freud, le chercheur austère, froid et silencieux, avait mis de l'eau dans son vin.

Vers le milieu des années 20, sous l'influence d'un musicien de jazz, Freud allait adopter une vision du monde empreinte d'une certaine fantaisie. Associant librement sur une douleur rebelle dans le bras qui l'empêchait de porter sa trompette à ses lèvres, ce patient avait eu cette réflexion : "Les cervicales sont reliées à l'astragale, mais qu'y a-t-il au milieu ?" Grâce à ces fragments préconscients, Freud réussit à retracer le déplacement des pulsions d'agression et de meurtre qui, localisées dans les parties supérieures (nourrir de noirs desseins) et inférieures (se complaire dans des fantasmes sexuels inavouables), s'étaient finalement fixées quelque part au milieu. A la suite de multiples observations réalisées sur d'autres patients et après consultation de ses collègues, Freud fit la moyenne entre la nuque et la cheville et arriva au coude. Restait encore à déterminer la signification archaïco-symbolique de ce site. Quand il s'aperçut que l'existence même de cet organe servait de souvenir-écran pour dissimuler de pénibles expériences infantiles liées au tennis,

Freud vit s'ouvrir de grandioses perspectives dans le traitement de la quasi totalité des troubles mentaux.

Puis vinrent les sombres années 30, marquées par l'ascension apparemment irrésistible du fascisme, la désertion ou la mort des disciples de la première heure et l'aggravation de sa maladie. Face à cette situation lourde de menaces, Freud parvint à la conclusion que le monde n'était pas encore prêt à affronter la réalité. Néanmoins, il continua à écrire de façon prolifique, ainsi qu'en témoigne l'abondance, exceptionnelle pour un homme de son âge, de ses œuvres. Son article sulfureux, *l'Inceste est une affaire de famille* (1931), co-signé par sa chère fille Anna, montre, une fois de plus, son absolue sincérité. Dans ce travail remarquable qui fait désormais autorité, Freud dévoile la véritable nature du lob lifté d'origine sadique-anale : "Ce coup offensif déguisé mérite qu'on lui donne sa chance. Toutefois, tant que ses racines sexuelles et exhibitionnistes n'ont pas été honnêtement reconnues comme telles et correctement analysées, il est parfaitement inconvenant de l'utiliser en présence des dames." Peu après, Freud publiait les *Origines traumatiques du complexe d'Electre* (1932), dans lesquelles il exhumait le fondement masochiste de l'attachement des petites filles envers leur père ("La petite fille ne souffre pas tant d'une absence de pénis, que d'entendre chaque soir son père lui chuchoter : 'Eteins la lumière'").

Puis, avec une virtuosité inégalée, Freud allait donner le jour à une succession d'articles, plus féconds les uns que les autres : *Balles poilues et duvet pubien ; Sachez tirer parti de vos balles ratées : la force du remords ; la Morale civilisée du tennis et la maladie nerveuse des temps modernes*. Que Freud prenait très au sérieux ces thèses ne fait aucun doute. Témoin cette sobre vérité qu'il tint à rappeler deux ans avant sa mort, dans *le Cauchemar de la partie de tennis annulée : essai sur l'obésité, la perversion et le suicide* : "L'extraordinaire pouvoir thérapeutique du *Tennis Unbewusstsein* (de l'évanouissement sur le court de tennis) est la meilleure réponse que l'homme peut opposer à la pulsion de mort.'' Enfin, son dernier article, *l'Effet se rapproche quand la prise se relâche* (1938), est si profond et si complexe, qu'il appartient aux futures générations de savants d'en décrypter toutes les significations latentes.

Les propos quasi mystiques de Freud qui procèdent directement de sa théorie sur la Pulsion de tennis laissent entrevoir l'émergence d'un monde meilleur et constituent certainement une réponse plus appropriée aux souffrances humaines que les séductions vaines et usées de la sexualité. (Rappelons cette sage remarque du Maître à propos de l'acte sexuel : ''*Homo tristis post coïtum*''). Ses hypothèses représentent un acquis durable, une contribution inestimable à l'élaboration d'un modèle enfin universel des comportements humains. Si, au premier abord, le tennis peut apparaître comme un sport parmi d'autres, Freud nous enseigne que sa pratique n'est jamais une fin en soi : ''Par sa structure même, ce jeu nous permet de pénétrer dans les recoins les plus dissimulés de l'âme humaine et d'atteindre des profondeurs jusqu'ici inaccessibles'' (1934). A ses yeux, le tennis représentait une forme d'auto-expression, un immense écran sur lequel l'existence humaine pouvait se projeter dans son infinie diversité : ''En ces temps de modernité, je considère le tennis comme un exutoire cathartique, indispensable non seulement à la compréhension de l'espèce humaine, mais aussi à sa survie.* Le dépérissement de l'intérêt sexuel a incontestablement hâté l'émergence et le développement du Besoin pressant de tennis'' (1932). Pour Freud, le tennis était la métaphore de notre temps.

---

* Grâce à une interprétation plus humaine de leur comportement asocial, six adeptes chroniques du lob compulsif ont pu échapper à ce choix déchirant : être définitivement exclus de leur club de tennis ou subir une lobotomie.

… vorgelegt und hatte mein …
… des starken Beschaffenheit dieses Ram…
…ten von einer herkömmlichen Methode der …
…der Ratten auf das Gesäß gebunden w…
…hatte, verwickelte ein halbwegs Tennis-…
…b, würde er von Furcht geläutert. Und …
entwarf, habe ich nach i…
dieser „Tennis-Schema…
der Tennisschläger …
Ratten-Verbindung …
einem neuen Patien…
daß mein Patient …
wenn er den Ram…
sei so realistisch …
wahrscheinlich zu…
mit dem Verfahren…
Absurdität dieses Gedankens bewußt…
…onelle Hilfe gesucht. Als sich der …
…t hatte, löste sich dieser unerwarte…
…te der Patient auf den Tennisschlä…
… masochistische sexuelle Zwangs…
…n Form von Penetration konnte…
Und um seine morbide Libido f…
Ratte …

LES ÉCRITS SECRETS DE SIGMUND FREUD MORCEAUX CHOISIS ET ANNOTÉS

Les textes présentés ci-dessous ont été directement traduits de l'allemand, à partir du manuscrit original. Il n'a pas toujours été facile de rendre tout le sel et la passion de la prose freudienne dans la langue française.* Chaque fois que des difficultés ou des obscurités se sont présentées, il a été nécessaire de sacrifier l'élégance stylistique à la littéralité. Le fait que Sigmund Freud avait tendance à utiliser certains termes de façon interchangeable et à réviser ses théories sans le mentionner explicitement a constitué un obstacle supplémentaire. Pour des raisons de commodité, les termes de *Tennis Instinkt* (Instinct de tennis) et de *Tennis Trieb* (Pulsion de tennis) seront considérés comme synonymes. En revanche, *der grosse Tennis Drang* (le Besoin pressant de tennis) connote quelque chose d'encore plus élémentaire, un désir originaire toujours inassouvi.

Si Freud, l'écrivain, faisait peu de cas de la cohérence, il ne s'en sentait pas moins atteint dans son amour-propre lorsqu'on l'accusait de dilettantisme. En réalité, il préférait traiter une question de façon fragmentaire, quitte à laisser à d'autres le soin de l'approfondir. Ceci est particulièrement vrai de ses premiers travaux : le jour où il découvrit les racines inconscientes du lift, il fut si bouleversé qu'il se mit à tourner comme une toupie sans pouvoir s'arrêter. L'un des buts de ce recueil est de montrer à la fois la continuité et les ruptures qui jalonnent le déve-

* Ainsi, il est parfois difficile de déterminer si Freud entendait qu'on le prenne au pied de la lettre ou non. Dans une étude portant sur un cas d'homicide, il présente un homme qui avait assassiné son partenaire habituel en double, parce que celui-ci avait eu le front de lui dire "Ne rate pas ton coup", alors que lui-même avait commis à deux reprises une double faute dans le même set. Freud voulait-il dire que cet individu nourrissait seulement des intentions malveillantes ou qu'il était un véritable assassin ?

loppement des concepts freudiens.* Cette approche historique constitue un bon antidote, aussi bien contre une acceptation sans discernement de sa théorie de l'Inconscient tennistique que contre un rejet qui aurait l'ignorance pour seul alibi. Il n'est pas dans notre propos d'exposer dans tous ses méandres la théorie sur la Pulsion de tennis : un seul ouvrage n'y suffirait pas. Ce choix de textes se veut plutôt une introduction à la psychanalyse du tennis, dans l'espoir que le lecteur, resté sur sa faim, se reportera aux manuscrits originaux. Notre principal souci a été de présenter le vrai Freud — celui qui, débarrassé de ses digressions abstraites et érudites, nous apparaît comme un être plein de vie et de sagesse. Ceux qui auront la patience de le suivre sur les chemins sinueux où l'ont entraîné la mise en place puis l'abandon stratégique de la trop naïve théorie de la libido sexuelle, ceux qui sont prêts à partager ses problèmes, à comprendre ses erreurs, à accepter ses vérités partielles et, finalement, feront leur sa théorie sur la Pulsion de tennis, ceux-là vont vivre une aventure qu'ils ne sont pas prêts d'oublier.

* Un bon exemple en est fourni par cet article écrit en 1910, *Lisse ou rugueux ?*, dans lequel Freud jette une lumière crue sur les expériences infantiles qui permettent à certains individus de gagner à pile ou face et de toujours servir les premiers. Un seul facteur les distinguait des autres : leur mère les avait baignés jusqu'à l'âge de seize ans. Toutefois, en 1912, lorsqu'il s'aperçut qu'il s'agissait là d'une révélation gênante, il perdit brusquement tout intérêt pour la question et déclara : "Je préfère jeter le bébé avec l'eau du bain".

LE TRIOMPHE D'ŒDIPE : LES CAUSES INCONSCIENTES DES CONTRE-PERFORMANCES

Dans l'un de ses écrits fondateurs, Freud expose le cas du petit Hans, ce champion de tennis qui perdait systématiquement les matches les plus importants. Dans le passage suivant, il montre en quoi sa phobie infantile des animaux est à l'origine de son angoisse de castration. *

Quand il était enfant, Hans refusait de sortir dans la rue, car il était terrorisé à l'idée qu'un cheval ne vienne mordre la tête de sa raquette de tennis. Il entretenait avec son père, qui lui avait appris à jouer, une relation œdipienne, faite de jalousie et de rivalité ; le père, de son côté, nourrissait la crainte inconsciente d'être un jour battu par son fils. Ayant consciencieusement refoulé les sentiments hostiles qu'il lui vouait, Hans disait aimer tendrement son père... Il prétendait avoir simplement peur d'être mordu par un cheval. En fait, il avait projeté sur ce pauvre animal les désirs de vengeance de son père qui supportait mal l'esprit de compétition de son fils. J'ai aidé le petit Hans à comprendre qu'il ne pouvait pas battre ses adversaires,

* C'est dans l'un de ses tout premiers articles, *les Secrets du tennis* (1897), que Freud expose cette étonnante technique par laquelle les patients sont conviés à se délivrer de leurs souvenirs de tennis les plus pénibles (''La moindre entorse à la franchise vide l'entreprise de toute substance''). Ecouter les perpétuelles récriminations que les patients s'auto-infligeaient était à peine supportable ; fort heureusement, Freud avait déjà inventé la règle de l'attention flottante.

parce qu'en se forçant à les haïr, il portait atteinte à l'image de son père bien-aimé.

Grâce à de longs mois de travail sur cette intuition première, Hans remporte désormais tous les tournois auxquels il participe et sa peur infantile qu'un cheval ne morde sa raquette a disparu. Certes, il est maintenant hanté par la crainte d'être mordu aux organes génitaux et châtré, mais cela ne m'inquiète guère, car avec le remplacement progressif de la traction animale par l'automobile, cette phobie deviendra bientôt anachronique.

La névrose d'échec, 1896

LA FAUSSE SÉCURITÉ DE LA RAQUETTE PRINCE

Un collègue m'a informé avec tristesse de la disparition de la raquette en bois Coupe Davis. Autrefois extrêmement populaire, ce modèle se voit détrôné par la Prince, la Grosse Bertha et autres raquettes dotées d'une tête plus agressive. Vu que dans les fantasmes, les rêves et quantité de symptômes, la tête renvoie aux organes génitaux mâles, croire que plus c'est gros mieux c'est, relève d'un mécanisme de compensation parfaitement futile. Désespérés par leurs médiocres performances avec des raquettes conventionnelles, certains patients mettent leur faiblesse sur le compte de leur angoisse de castration et s'imaginent pouvoir y échapper en cherchant refuge dans la sécurité illusoire que procurent les raquettes métalliques à grosse tête. Ces substituts du pénis peuvent effectivement contribuer au succès, mais celui-ci est éphémère et les infériorités de type névrotique ne font que se déplacer ailleurs. Prenez le chapeau. Voilà un accessoire qui jouissait, il n'y a pas si longtemps encore, d'une immense popularité. Qu'est-il devenu aujourd'hui ? Quand les gens se sont finalement rendu compte que ce prolongement de la tête était amovible et devait être constamment ôté pour un oui pour un non, il a perdu tout son attrait. Je crains que les utilisateurs de la raquette Prince ne développent des complexes et commencent à croire que leur pénis n'est qu'un pauvre et malingre substitut de la chose en soi...

La raquette Prince : symbole et symptôme, 1899

Les raquettes de Freud aux différentes époques de sa vie. Si l'on en croit les psycho-historiens, cette débauche de formes et de styles refléterait l'image changeante que Freud avait de lui-même. Ainsi, le manche particulièrement court de la dernière raquette serait une preuve de l'assurance qu'il avait acquise au

fil des années, au point de commencer à croire qu'il avait le bras aussi long que le pénis. En réalité, Freud n'a jamais réussi à déterminer si le pénis symbolisait la raquette de tennis ou, inversement, si la raquette de tennis était un symbole du pénis.

PSYCHOPATHOLOGIE DU DOUBLE MIXTE

Après avoir atteint son acmé lors de la phase phallique, le complexe d'Œdipe finit par succomber au refoulement et est suivi d'une période de latence. Si, autrefois, j'attribuais sa disparition à son manque de succès, je dirais aujourd'hui que ce qui entraîne la désorganisation de la structure phallique chez le petit garçon est la menace de castration.* Au début, l'enfant n'arrive pas à croire à sa réalité et s'en moque éperdument. Toutefois, du jour où il a l'occasion d'observer la faiblesse des coups droits et des revers des petites filles, ainsi que leurs efforts laborieux au service, il suspend son doute. Ses fantasmes inconscients lui disent qu'autrefois ces petites filles étaient des petits garçons qui ont été punis pour avoir dit des gros mots. La peur panique de frapper la balle comme une fille et d'être envoyé en pension pour fortifier son tennis aboutit à une désexualisation et à une sublimation des tendances libidinales liées au complexe d'Œdipe. Les capacités tennistiques sont préservées grâce au renoncement à la sexualité et à l'ajournement des intérêts érotiques jusqu'au jour du mariage. Pendant la période de latence, la pulsion sexuelle reste présente à l'état préconscient et ce n'est qu'au sortir de l'adolescence qu'elle s'unira au besoin de tennis ; l'union délicate du sexe et du tennis dans le mariage représente l'un des fondements de l'amour juvénile. L'effet d'érosion des doubles mixtes joués avec le

* Freud n'a jamais totalement résolu la question de l'Oedipe. Son dernier mot en la matière (1936) est que les garçons ne renoncent à leurs désirs incestueux que le jour où ils s'aperçoivent que leur mère est totalement dépourvue de sex-appeal.

conjoint pour partenaire est relativement lent et ne se fait sentir que vers la trentaine ou même la quarantaine. Le déni flagrant de la réalité, le manque de discernement dont font preuve ceux qui choisissent de mettre en péril leur mariage pour les délices de cette diabolique invention signalent des formes particulièrement perverses de masochisme.

La disparition du complexe d'Œdipe,
1903

COMMUNICATION PRÉLIMINAIRE SUR LE TENNIS ELBOW

Les symptômes névrotiques tels que le *tennis elbow* s'enracinent dans un conflit occasionné par l'apparition d'un nouveau mode de satisfaction de la libido. De cette perversion à la névrose, il n'y a qu'un pas. L'énergie libidinale peut cependant échapper au conflit en ayant recours à la fixation... Pour vaincre le refoulement, la libido se fixe sur des activités et des expériences dont on peut trouver l'origine dans la vie sexuelle infantile. Le symptôme offre un substitut au désir frustré par une régression de la libido à un stade antérieur. Parmi les facteurs étiologiques relevés chez presque tous les névrosés, on peut noter : l'observation du coït parental (la scène originaire), la séduction par un adulte et la menace de castration. Le retrait de la libido sur des objets imaginaires ou fantasmes, comme étape intermédiaire dans la formation du symptôme, semble nécessiter un terme spécifique. Jung parle d'introversion ; pour ma part, je l'appelle "*tennis elbow*". Si seulement on pouvait convaincre ces malheureux de renoncer à leur activité masturbatoire compulsive ou au moins de la réduire, en particulier le jour d'un match, la douleur aiguë généralement associée à cette affection disparaîtrait en l'espace d'un mois.

Introduction à la psychanalyse du tennis, 1906

SUR LES STAGES DE TENNIS

Le 21 mai 1908

Cher Dr. Jones,

Juste un mot sur le dernier symptôme névrotique qui s'est abattu sur Vienne : le désir d'être envoyé en stage intensif de tennis. Le fait que tant d'adultes parfaitement respectables et en apparence tout à fait normaux s'inscrivent à de tels stages n'a d'ailleurs pas manqué d'impressionner les plus virulents de mes détracteurs. En agissant ainsi, ces individus s'efforcent de ''revivre'' une expérience purement imaginaire, le souvenir d'enfance auquel ils cherchent à se raccrocher n'ayant jamais vraiment existé. L'impitoyable société dans laquelle nous vivons laisse de profondes blessures psychiques que ne peuvent soulager des mini-cures d'une semaine. Il n'existe pas de remède miracle. La Névrose de tennis est une maladie grave qui exige compréhension, respect et ténacité de la part de l'analyste. Ce n'est qu'en supprimant le symptôme que nous pourrons aider le patient à recouvrer la santé. Le traitement habituellement conseillé est le suivant : trois simples et deux doubles par semaine pendant au moins trois ans. Toute réduction de la dose de la part du patient devra être mise au compte de ses résistances.

Votre fidèlement dévoué,
Sigmund

P.S. A partir du 28 juillet, je compte assister, avec mon ami Mortimer, à un mini-stage d'une semaine, mais uniquement à des fins d'observation scientifique. Ayez la gentillesse de n'en souffler mot à personne.

EXHIBITIONNISME ET BESTIALITÉ SUR LES COURTS DE TENNIS

L'utilisation de jeunes enfants comme ramasseurs de balles est l'un des vestiges les plus abjects de la préhistoire de l'humanité — un avatar à peine déguisé de la bestialité. Cette coutume (qui nous vient en droite ligne de l'ancienne pédophilie anglaise) satisfait nos fantasmes les plus archaïques. L'étymologie même de l'expression "va chercher" possède des connotations cynégétiques et sadomasochistes si évidentes que je n'arrive pas à comprendre comment on permet le déploiement d'une telle indécence sur les courts. Après les animaux, les enfants :

Alertée par les théories freudiennes sur la Séduction du tennis, la police conduit une enquête sur la pédophilie et la bestialité sur les courts.

jusqu'où l'homme s'abaissera-t-il ? Selon moi, l'explication de ce phénomène réside dans la scène originaire. La timidité maladive que l'on observe chez certains patients qui n'osent pas aller chercher leurs balles tombées sur le court voisin est intimement liée au coïtus interruptus. Ceux qui se sentent coupables chaque fois qu'ils réclament ce qui leur appartient ne font que se défendre contre des tendances inconscientes au voyeurisme. Or, si vous suivez mon raisonnement, l'utilisation d'un jeune ramasseur de balles est un moyen détourné de surmonter la honte attachée à cette perversion. Autre trait caractéristique de ce genre d'individus : ils ne peuvent se rendre aux toilettes sans l'annoncer *urbi et orbi*. Il s'agit là d'un reste de conduite infantile : enfant, ce même individu aimait interrompre les échanges préliminaires de ses parents pour leur montrer que lui aussi savait jouer. Ce besoin exhibitionniste est à l'origine du *tennis interruptus* que l'on doit mettre en relation avec le désir incoercible mais toujours frustré de décharger ses tensions latentes grâce au tennis.

De la décadence morale propre à notre temps, 1909

SEXE OU TENNIS ?

Grâce à sa connaissance de l'espagnol, Freud pouvait vérifier l'exactitude des traductions dont ses œuvres faisaient l'objet dans cette langue. Cette vérification donnait généralement lieu à des échanges amicaux à propos de la juste interprétation de ses pensées. Un jour, cependant, le maître ressentit une vive irritation. Dans une lettre au Señor Luis López-Balesteros y de Torres, son traducteur en espagnol, il souligne la nécessité d'opérer une distinction nette entre le "Désir irrépressible" de tennis et la "Pulsion" de tennis.

... En mettant l'accent sur les aspects érotiques de la Pulsion de tennis, vous êtes, je le crains, la victime inconsciente des langues romanes. Le sexe est incompatible avec le tennis. Tant qu'il n'a pas atteint la maturité nécessaire pour unir ces deux grandes pulsions, l'individu sain doit pratiquer l'abstinence. Afin de ne pas induire mes lecteurs espagnols en erreur, vous devez mettre en évidence la primauté relative du tennis sur le sexe. Le choc causé par cette révélation se trouvera peut-être atténué, si nous ajoutons cette brève remarque en guise d'illustration : le grand boxeur américain John L. Sullivan s'abstenait de tous rapports sexuels et ne se rasait pas pendant les trois semaines qui précédaient un combat décisif. L'homme ne peut penser qu'à une seule chose à la fois, ou, comme le disait votre éminent compatriote, le poète José Ortega y Gasset : "A chaque jour suffit sa peine..."

Lettre au traducteur espagnol, 1909

SÉGRÉGATION DES SEXES

Rien ne révèle plus crûment les préjugés misogynes de Freud que ses violentes diatribes contre le double mixte. Ci-dessous, la lettre qu'il écrivit en 1912 à la révolutionnaire anarchiste Emma Goldman, après avoir lu son pamphlet, De l'égalité des sexes sur les courts de tennis.

Chère Emma,

Je ne peux que souscrire à ce que vous dites du double mixte. Les femmes sont en effet la cause de la guerre et le but de la paix, le fondement de ce qui est sérieux et la finalité de la justice, la clé de toutes les allusions et la signification de tous les sous-entendus. L'approche érotique directe ne nous a jamais permis d'accéder à la véritable essence de la féminité. Peut-être que la promiscuité spontanée et la libre association en plein air mettront fin aux regards dérobés du timide, aux pensées malsaines du chaste et aux fantasmes récurrents de l'impudique. Vous avez parfaitement raison de voir dans le désir charnel une expression dévoyée des relations que l'homme entretient avec le sexe faible. Assurément, l'expérience du double mixte offre à l'humanité une occasion inespérée de déchirer le voile d'obscurité dont s'entoure cette étrange créature qu'est la femme.

Bien affectueusement,
Sigmund Freud

P.S. Pour être honnête, je n'éprouve toujours aucun plaisir à jouer avec Martha, mon épouse.

TENNIS ET MÉDECINE DOUCE

Malgré la répugnance et le scepticisme que suscitaient nombre de ses théories sur le tennis, Freud réussit néanmoins à effectuer une percée inattendue. Jusqu'en 1913, les parents autrichiens interdisaient à leurs enfants de se masturber, parce que, selon une opinion communément admise à l'époque, cette pratique conduisait à la débilité mentale, à l'affaiblissement des forces vitales, à la syphilis du cerveau et j'en passe. Mais, lorsque commença à s'ébruiter la théorie freudienne selon laquelle il n'y avait pas de meilleur exercice d'échauffement avant une partie de tennis qu'une bonne masturbation matinale, la sévère morale victorienne dut battre en retraite. Aucun observateur de bonne foi ne pouvait nier les bienfaits que procurait cet exercice à qui s'y soumettait au saut du lit : le sujet abordait la journée léger et détendu. C'est ainsi que, petit à petit, la masturbation prit sa juste place dans l'arsenal des moyens dont dispose la médecine douce et qu'elle jouit aujourd'hui d'une pleine reconnaissance.

Voir n'est pas forcément croire. Combien de fois n'ai-je pas cru posséder des preuves irréfutables et pourtant je me heurtais à un mur d'incompréhension. Toutefois, tant de sueur, de sang et de larmes n'auront peut-être pas été vains. Dans mon travail en cours, *Beitrage zur Kenntniss der Bildung, Befruchtung und Theilunf des Tennis Eies*, j'analyse la formation et la fertilisation du Besoin de tennis présenté dans ses aspects génétiques et montre comment il pourrait apporter la paix et la prospérité à notre monde troublé. Maintenant qu'ils ont reconnu les bienfaits souverains de la masturbation, peut-être seront-ils disposés à recevoir une leçon de tennis d'un vieux Juif.

Nouveaux exercices d'échauffement, 1912

L'HYSTÉRIE DU TENNIS : QUELQUES ÉTUDES DE CAS

"La Psychanalyse du tennis se distingue de toutes les autres formes de thérapie par son caractère volontairement et consciemment personnalisé. L'analyste n'est plus un observateur froid et objectif travaillant dans l'atmosphère aseptisée de la neutralité clinique. Il doit personnellement s'impliquer dans les vicissitudes du tennis, c'est-à-dire dans ce qui fait le charme de la vie."

Freud, 1897

L'approche adoptée par Freud, ouverte, directe, physique même, ressort avec une netteté particulière de ses études de cas. Les fragments que nous avons retenus montrent comment le fait de présenter les symptômes selon leurs significations tennistiques peut aider le patient à se libérer de ses souffrances psychiques.

Cas n° 1 : Le vrai visage de la folie

Frau Necillie C. souffrait d'une névralgie faciale extrêmement violente qui avait la particularité d'apparaître soudainement deux à trois fois par an pour se prolonger de cinq à dix jours. Je diagnostiquai dans ce symptôme une punition que le sujet s'auto-infligeait pour avoir commis des actes répréhensibles. Faible de caractère, Frau C. ne pouvait s'empêcher de grimacer et de grincer des dents chaque fois que ses partenaires commettaient des fautes involontaires ; son front se plissait et un rictus retroussait sa lèvre. Etant donné l'excellente éducation de Frau C., ses névralgies faciales ne pouvaient être interprétées que comme une attaque de son surmoi révolté par son attitude peu charitable.

Cas n° 2 : Jalousie familiale

Au cours d'une de mes visites dans un club de tennis non loin de Vienne, une jeune employée prénommée Marie me soumit son problème : depuis deux ans, elle souffrait de crises d'angoisse à répétition. Il apparut que son oncle l'avait caressée et lui avait même fait des avances plus poussées, auxquelles elle s'était d'ailleurs dérobée. Cet homme entretenait déjà une relation incestueuse avec sa propre fille (la cousine de Marie) dont il était le partenaire régulier au Tournoi de la Saint Valentin. Intéressants en eux-mêmes, ces renvois à l'inceste et autres expériences sexuelles traumatiques n'étaient cependant pas pertinents. Dans le cas de Marie, le véritable facteur pathogène se trouvait ailleurs : son père n'avait jamais joué au tennis avec elle, et elle était en fait jalouse de sa cousine. Marie admit cette explication comme plausible car, m'avoua-t-elle, elle avait toujours adoré le tennis, mais ne supportait pas l'idée d'éprouver un tel sentiment. M'étant rendu compte qu'il serait inutile de slicer son complexe de tennis œdipien, je me contentai de lui suggérer de prendre ses distances vis-à-vis de son oncle et de se trouver un jeune homme séduisant qui l'aiderait à se refaire une santé.

Cas n° 3 : Le rêve de Dora

S'il est vrai que les causes des troubles hystériques sont à rechercher dans l'intimité des expériences quotidiennes du joueur de tennis et que les symptômes hystériques sont l'expression de ses désirs les plus secrets et les plus refoulés, alors l'élucidation complète d'un cas d'hystérie du tennis nous oblige à dévoiler cette intimité et à trahir ces secrets.

Dora raconte ainsi l'un de ses rêves récurrents : "Notre maison était en feu. Mon père s'est approché de mon lit pour me réveiller. Je me suis habillée rapidement. Ma mère était dans tous ses états parce qu'elle ne retrouvait plus ses deux Prince Graphites. Alors mon père lui a dit : 'Je refuse de me laisser brûler vif avec nos deux enfants à cause de tes raquettes'''. Ce rêve était lié aux symptômes névrotiques de Dora : essoufflement dans le deuxième set, refus d'accepter la présence d'hommes sur le court voisin, violente répulsion devant des balles glabres. Le contenu latent du rêve — la mère rejetant sa fille pour ses deux précieuses raquettes — était la traduction inconsciente de ses débordements hystériques chaque fois qu'elle essayait de jouer au tennis. Il y a tout lieu de penser que ce comportement masquait un désir refoulé de meurtre dirigé contre la mère à seule fin d'hériter de ses deux raquettes...

Cas n° 4 : La housse de raquette et la névrose précoce de l'imperméable

J'introduirai ici le cas d'un jeune homme de vingt-sept ans qui souffrait d'une déperdition d'énergie libidinale ; il mettait des heures à ajuster son préservatif, si bien qu'il avait le sentiment que l'acte lui-même était une corvée imposée de l'extérieur. Une peur irraisonnée des maladies vénériennes lui gâchait le coït et l'éloignait progressivement des plaisirs sexuels. Après trois ans d'une analyse approfondie, il apparut que cet individu phobique jouait au tennis en oubliant d'enlever la housse de sa raquette. Naturellement, son jeu s'était considérablement détérioré, entraînant l'apparition de symptômes divers : apathie, dyspepsie, insomnie. L'interprétation des rejetons de son inconscient révéla que cet acte manqué, cet "oubli" significatif renvoyait à une réaction de défense intériorisée contre l'exhibitionnisme et à une "névrose précoce de l'imperméable".

PHOTOGRAPHIES ORIGINALES ILLUSTRANT LES TRAVAUX DE FREUD RELATIFS A L'ANALYSE DU TENNIS

Les doubles jumelles siamoises

Il s'agit là du cas le plus bouleversant de toutes les annales de la psychanalyse et aussi, sans doute, du plus éclatant succès thérapeutique de Freud. En 1902, Freud assista, au Burgtheater de Vienne, à la représentation d'une comédie musicale intitulée "Les peines de cœur des quatre jumelles siamoises". Profondément ému par la tragique infirmité de ces jeunes filles et révolté par la sordide exploitation qui en était faite, il décida de leur venir en aide. Il se rendit donc dans leur loge et leur exposa les rudiments de sa théorie sur la Pulsion de tennis. Il espérait qu'en stimulant en chacune d'elles le Besoin naturel de tennis, elles se dissocieraient spontanément en équipes de double. La réalité dépassa ses espérances : ces charmantes jeunes filles sortirent de cette séance improvisée parfaitement individualisées et capables de jouer en simple. Ci-dessus, une photographie-témoin extraite de sa collection "Avant et après".

Herr J. était si atteint qu'il avait somatisé son dédoublement de la personnalité. Freud eut l'idée de génie de tirer parti de cette infirmité : il persuada son patient de participer au Tournoi de

Dédoublement de la personnalité

Wimbledon de 1907, en constituant une équipe de double à lui tout seul. Quand Herr J. arriva en demi-finale, il se dit qu'après tout, à quelque chose malheur était bon.

L'Homme au loup

Seule photo connue de l'Homme au loup. C'est en analysant ce cas que Freud fut amené à forger le terme de Pervers polymorphe pour décrire des individus si dépravés qu'ils sont prêts à jouer au tennis avec n'importe qui, ou presque. L'Homme au loup manifestait des tendances si grossières à la lubricité et à la débauche qu'il fut finalement interdit de tennis dans la quasi totalité des pays civilisés. Même Freud évitait de paraître en public avec lui. Ce n'est qu'après sa mort, que Martha osa rapporter ce qu'il avait un jour marmonné : "Que ne l'a-t-on envoyé sur le front russe !"

L'Homme aux gants

L'héroïque combat que Freud ne cessa de mener pour guérir ses patients victimes de phobies diverses l'entraîna sur des sentiers parfois inattendus. L'Homme aux gants, dont la réputation n'est plus à faire, était terrifié à l'idée de monter au filet. Incapable de maîtriser son angoisse de castration, il s'entourait de tant de gants, qu'il ne pouvait plus ni lever sa raquette ni voir la balle. Freud fit tomber ses inhibitions grâce à sa magistrale interprétation : "Un mouton à cinq pattes n'a pas de queue".

L'illusion de la célébrité

Parmi les grands défis auxquels Freud fut confronté au cours de son illustre carrière, on se doit de mentionner la psychose de masse provoquée par l'Illusion de la célébrité, cette grave maladie mentale qui s'abattit sur l'Europe Centrale entre 1922 et 1925. Des individus en apparence parfaitement normaux s'étaient mis à imiter le style et les manières des stars de l'époque. Pour venir à bout de ces fixations, Freud choisit l'attaque frontale et mit sur pied sa fameuse Thérapie de groupe par le tennis. De gauche à droite : un homme qui se prenait pour Charlie Chaplin, un autre qui se comportait comme Bill Tilden, un couple manifestant une ressemblance frappante avec Douglas Fairbanks et Mary Pickford ; enfin, deux quidams qui voulaient avoir l'air célèbre mais n'y arrivaient pas.

Atteint de voyeurisme, Wilhelm L. avait déjà eu maille à partir avec la justice. Cette photo d'époque (1925) montre Wilhelm en train de ramper sous le filet lors d'un échange. L'explication donnée par Freud à cette fâcheuse manie (''Les jupes de votre mère ne cachaient que des culottes bouffantes'') fut si convaincante que le sujet réussit dès lors à se contenir jusqu'à ce que le point soit marqué. C'est la seule fois dans l'histoire de Wimbledon que la Commission des règles de la Fédération internationale de tennis autorisa un joueur à porter une jupe, afin qu'il se persuade de cette vérité : ''Ne se voient que les parties visibles.''

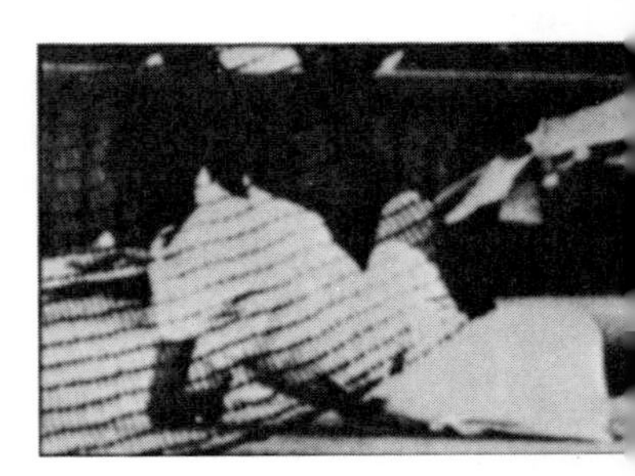

Le voyeur

La phobie du carré de service

Virtuose de la raquette, Nicoló Nota domina le tennis italien de 1904 à 1911. Soudain, à l'apogée de sa carrière, il développa une phobie du carré de service. Ici, il est reconduit au vestiaire dans un état d'épuisement nerveux total. Après investigation, Freud décela l'existence d'une excitation corporelle localisée dans les organes génitaux qui culminait dans l'érection des deux gros orteils chaque fois que Nota pénétrait dans le carré de service. Au cours d'une séance particulièrement mouvementée, Nota admit qu'un fantasme inconscient était à l'origine de sa phobie : "Le carré est si grand que j'ai peur qu'il m'engloutisse". Freud lui répondit du tac au tac : "Ce n'est pas une femme, mais seulement un terrain de jeu". En vain. Nota abandonna la compétition en 1913. Des années plus tard, Freud confia à Romer : "Il valait mieux le laisser croire que ses problèmes étaient de nature purement sexuelle. Son retour de service était nul."

Prise en 1910, cette photo est la seule qui nous soit parvenue de l'Homme qui jouait avec lui-même. Herr T. avait contracté des habitudes de masturbation à un âge si précoce, que sa mobilité et sa dextérité étaient proprement ahurissantes. Dans ce match demeuré célèbre, pour lequel on avait convié les juges-arbitres à déterminer si la main était effectivement plus rapide que l'œil, Herr T. s'est battu lui-même, 6-3, 6-2, 6-4. Freud devait faire ce commentaire : "Il s'agit d'un cas de narcissisme poussé à l'extrême. Herr T. estimait que, de toutes les personnes qu'il avait connues, il était la plus intéressante".

L'Homme qui jouait avec lui-même

LE LOB

Parent pauvre du tennis, le lob est généralement méconnu, sous-utilisé et injustement décrié. Le mot "lob" lui-même est la condensation d'un ustensile ménager, d'un coup joué assez haut pour passer au-dessus de l'adversaire et, à une lettre près, d'un organe sexuel. Avoir un bon lob possède une connotation phallique si crue que la plupart des hommes ne le supporte pas. Les femmes qui peuvent satisfaire leur envie du pénis grâce à des substituts masturbatoires ont souvent recours au lob. Pouvoir penser le lob simplement comme lob diminue considérablement l'angoisse.

Résistances au lob, 1914

FREUD RÉPUDIE CARL JUNG

... Je me sens obligé de vous préciser que j'ai toujours été une personne d'une moralité irréprochable, qui peut se permettre de souscrire à cette excellente maxime : "La morale est à elle-même son propre signe". Quant au sens de la justice, au souci du bien-être d'autrui, au refus de le faire souffrir ou d'en tirer avantage, je crois, dans ces domaines, pouvoir me mesurer avec les meilleurs de mes amis. Je n'ai jamais rien fait de bas ou de méchant et n'en ai d'ailleurs jamais eu la tentation. Unique exception : lorsque je reçois un cadeau au filet, je le smashe dans les pieds de cette crapule de Jung, pour des raisons que vous comprendrez aisément...

Lettre à James J. Putnam, 1914

Conduite par son vaillant capitaine Carl Jung, l'équipe zurichoise tirée à quatre épingles pose devant l'objectif à la veille de son match historique contre l'Institut de Vienne, 1911.

LA RUPTURE AVEC ADLER

Le soleil brille pour tout le monde sur cette terre et je serais bien le dernier à interdire à quiconque le désire de taquiner la balle. Cependant, vous avez la fâcheuse manie de piétiner mes plates-bandes, de m'empêcher de me concentrer au moment où j'arme mon coup, bref de bousiller mon jeu. Vous êtes l'un des rares cas à propos desquels je préconiserais une vasectomie des cordes vocales. Il n'est pas souhaitable que des individus qui ont cessé de s'entendre et sont devenus aussi incompatibles que vous et moi continuent à jouer ensemble en double. Je vous serais donc gré de vous trouver un autre partenaire.

Cordialement vôtre,
Sigmund

P.S. Je sais maintenant d'où vous vient votre réputation d'expert en matière de complexes d'infériorité. Qu'attendez-vous pour ouvrir un magasin de chaussures orthopédiques ?

Ultimatum adressé à Alfred Adler,
1914

ÉPHÉMÈRE DESTINÉE DU COUP DROIT ET DU REVERS : CONTRIBUTION À L'ÉTUDE DE LA MÉLANCOLIE

La tendance de tout ce qui est beau et parfait à s'altérer peut donner naissance à deux pulsions opposées. Le souvenir imaginaire du coup droit amoureusement ciselé et de nos meilleures performances sur les courts brille comme un rayon de soleil durant le morne et interminable hiver de nos balles ratées et de nos fautes involontaires. Pleurer la perte d'un objet qui nous a été cher est l'une des faiblesses de notre nature, humaine trop humaine. Pourtant, même le deuil a une fin. Combien de temps peut-on se lamenter, après un match perdu ? C'est quand on a renoncé à tout, y compris au désir de jouer, que le deuil est consommé et que la libido, enfin libérée, peut à nouveau se fixer sur d'autres préoccupations, un minable revers par exemple. Trouver un divertissement dans de telles bagatelles est l'un des biens les plus précieux de celui qui jouit encore de la vie...

Pensées pour notre temps par une pluvieuse après-midi de mai, 1916

HISTOIRE D'UN TRAUMA INFANTILE

Dans mon précédent article, *On mange un enfant*, je montrais comment les petites filles retiraient un plaisir érotique détourné en incitant leur père à les mordre. Perdre contre un adversaire qu'en temps normal on battrait à plate couture me semblait relever d'un même mécanisme. J'en concluais que la perversion, dans laquelle le plaisir inconscient est lié à la souffrance et à l'humiliation, n'était sans doute qu'un moyen pour affirmer son identité. Depuis, j'ai eu maintes fois l'occasion de déceler des manifestations analogues chez d'excellents joueurs. Tous avaient en commun d'être issus de familles juives suffisamment riches pour se faire construire un court de tennis dans leur jardin. Dès leur plus tendre enfance, ces sujets avaient manifesté des troubles de l'appétit. Assis dans leur poussette, ils pouvaient contempler leur mère en train de jouer au tennis. Leur sentiment, à bien des égards justifié, d'être délaissés et même repoussés hors des limites du terrain s'est transformé en intense jalousie à l'égard de la balle. Celle-ci était peut-être cruellement frappée, du moins était-elle désirée. Au stade oral ou cannibalique, durant lequel l'excitation sexuelle est liée de façon prédominante à l'activité de nutrition, ces tout jeunes enfants ne pouvaient ingérer que des substances rondes et blanches. Entre parenthèses, telle est sans doute la meilleure explication scientifique de la faveur dont jouit, auprès du grand public, le bouillon de poule servi avec des boulettes de matzah.

Donc, le désir inconscient d'être aimés de la mère a fait de ces garçons des mangeurs capricieux. A l'organisation orale succède l'organisation sadique-anale dont elle est le prolongement. L'érotisme anal de ces enfants s'exprimait par une fascination morbide pour les fécès parfaitement ronds. Après une investigation approfondie de leur inconscient, il m'est finalement apparu qu'ils s'efforçaient en vain de rivaliser avec la balle de tennis en produisant quelque chose d'aussi désirable qu'elle. La sublimation de leur rancune, au demeurant naturelle, en des pratiques masochistes aussi répugnantes est l'une des tragédies de notre siècle. Tout cela démontre amplement combien il est indécent d'exposer les petits garçons à l'intimité d'un court de tennis domestique. Quand le sujet devient adulte, il développe un besoin inconscient de perdre, de façon à se rendre désirable aux yeux de son adversaire. Seule une bonne éducation sexuelle peut remédier à une situation aussi poignante. S'il dispose d'une forte constitution, le patient pourra éventuellement surmonter ses premiers échecs en acceptant de considérer son pénis comme un précieux appendice à part entière.

L'énigme de la boulette de matzah, 1916

LE TENNIS ELBOW : UN MAL SANS REMÈDE

Ce n'est un secret pour personne, Freud eut toutes les peines du monde à élucider la dynamique du tennis elbow. *Bien que distrait par l'obligation de se pencher sur des questions théoriques totalement dénuées d'intérêt, telle que la distinction entre les notions de défense et de refoulement, d'angoisse réelle et d'angoisse névrotique, d'arrêt du développement et de régression, il ne perdit jamais de vue le défi que lui lançait ce syndrome si particulier, cette pierre de Rosette de l'âme humaine, cette clef de toutes les névroses.**

Dans l'hystérie de conversion, le sujet ne manifeste aucune angoisse. Il s'entoure le coude d'un dispositif prophylactique, se dissocie de la sensation de douleur et nie avec véhémence que de puissantes forces physiques et psychiques convergent vers cette partie de son anatomie. Les symptômes les plus courants sont une paralysie motrice, des contractures, une activité musculaire involontaire et d'étranges névralgies. A ce tableau clinique multiforme, nous ne pouvons donner aucune explication univoque. Toutefois, il semblerait que la majorité de ces manifestations se répartissent en deux catégories et soient,

* C'est de cette époque que date l'un de ses articles restés, hélas, sans écho : *Le mythe de l'ace* (1925). Il y démontre l'inanité des discussions portant sur la prééminence de l'orgasme vaginal ou clitoridien : "Ni l'un ni l'autre n'existe, si ce n'est dans l'imagination enfiévrée des femmes... Il n'y a pas plus d'*ace* au tennis, que de 'point G' chez la femme. Il n'y a qu'un vide comblé par le fantasme".

ou bien des modes substitutifs de satisfaction, ou bien l'expression symbolique d'interdits, de précautions et d'expiations. Situé tout près de l'épicentre somato-psychique de l'âme, le coude est tout naturellement l'organe où viennent s'exprimer la prohibition de l'inceste, du meurtre, du cannibalisme et autres tabous non moins délectables. Quand un individu prend un plaisir trop intense au tennis, le moi érige toute une série de mécanismes de défense contre l'angoisse de castration issue du complexe d'Œdipe. Comme on le sait, les coups fondamentaux du tennis, et plus particulièrement le revers à deux mains, offrent des ressemblances troublantes avec les gestes de la masturbation. Il n'est donc pas étonnant que le combat de Titan que se livrent la pulsion et le renoncement à la pulsion se localise dans la zone cubitale. La nature extrêmement primitive des forces en présence apparaît avec évidence chez le joueur impénitent qui continue à jouer, même sous l'empire de la souffrance.* L'élucidation de ces rites d'auto-punition nous a mis sur la voie royale de l'inconscient.

Etranges symptômes tennistiques, 1924

* Le lecteur pourra se rapporter au chef-d'œuvre de Freud, *l'Agonie de la victoire, l'extase de la défaite* (1911), dans lequel le maître se livre à une exploration approfondie du masochisme poussé à son paroxysme.

RIEN QU'UN PAUMÉ DU TENNIS

Ma faculté de m'intéresser à tout et à rien décline de jour en jour. Avec quelle complaisance mon attention se détache du présent et se fait vagabonde. Quelque chose en moi se révolte contre la compulsion qui me pousse à continuer de gagner ma vie et d'assumer mes responsabilités vis-à-vis de ma famille et de mes malades. Je sens monter en moi une étrange et secrète aspiration : n'être rien d'autre qu'un ''paumé du tennis''.

Lettre à Sandor Ferenczi, 1922*

* Beaucoup d'observateurs ont relevé le pessimisme et le découragement qui semblent envahir la correspondance de Freud à partir de la Première Guerre mondiale. Diverses explications, d'ordre personnel et théorique, ont été avancées pour rendre compte de cette manifestation patente d'angoisse psychique. La dernière en date souligne la pénurie de balles dont souffrait l'Autriche-Hongrie par suite des hostilités, créant une situation que Freud lui-même qualifiait de Privation aiguë de tennis. Une autre explication résiderait dans la toquade pour tout ce qui est poilu qui s'empara des forces armées austro-hongroises. Traumatisés par le déluge de feu qui s'abattait sur eux, des centaines de soldats apparemment sains d'esprit avaient pris soin de remplir leur barda de balles de tennis jetées au rebut et se livraient à des pratiques perverses dans la solitude des tranchées. Bien que les autorités militaires aient accepté sa proposition de raser préalablement les balles, mettant ainsi un terme à cette folie collective, Freud ne se remit jamais totalement de cette amère constatation : la guerre ravale l'homme à l'état d'animal.

LA SIGNIFICATION UNIVERSELLE DES RÊVES DE TENNIS

L'interprétation des rêves permit à Freud de mettre en évidence l'existence de fantasmes égoïstes, sadiques et pervers, en totale contradiction avec les convictions éthiques et esthétiques professées, à l'état de veille, par le rêveur. A l'instance psychique qui arbitre les conflits internes et transforme le contenu instinctif et archaïque du rêve en valeurs morales sublimes ou conventionnelles, il donna le nom de "censure" ou encore de "juge de ligne". Les vérités tennistiques universelles contenues dans le symbolisme du rêve possédaient une telle force d'explication que le sujet moyen était psychiquement incapable d'en saisir toute la portée.

"J'ai percé à jour le caractère dépravé de la prise, dévoilé la force nue du tamis, déchiffré les connotations incestueuses du jeu sur terre battue (notre Mère à tous), démontré le rôle du filet comme obstacle au passage à l'acte de nos pulsions érotiques et agressives. Considérer le tennis comme un simple divertissement est ce qui permet à l'humanité de continuer à dormir sur ses deux oreilles."*

Complément à la théorie du rêve de tennis,
1925

* C'est à l'occasion de ce travail remarquable que Freud introduisit le service-volée, contribuant ainsi à faire entrer ce sport dans le vingtième siècle. Jusqu'alors, même les champions se contentaient de renvoyer la balle en volée du fond du court. Les cinq ans d'analyse de Bill Tilden mirent à jour le lien direct qui existe entre les accidents sphynctériens de la petite enfance et l'apparition, à l'âge adulte, d'une répulsion à courir au filet. La guérison miraculeuse de ce super-champion amena au cabinet de Freud une floppée de joueurs de haut niveau.

MAUVAIS TERRAINS

... Les vues erronées des enfants concernant la sexualité refont surface à la puberté et entravent le développement harmonieux de leurs capacités sportives. En particulier, des conceptions aussi manifestement fausses que la fertilisation par la bouche, la naissance par l'anus, le coït parental comme acte sadique et la possession d'un pénis par les individus des deux sexes, constituent un lourd handicap à l'apprentissage du tennis. Ces conceptions étant le plus souvent refoulées et niées, les fragments de vérité révélés par la symptomatologie des névrosés du tennis ont une valeur diagnostique et thérapeutique considérable. A cet égard, le coup foireux et le lob nous semblent constituer des signes pathologiques gravissimes.*

Les théories sexuelles des enfants, 1927

* En 1928, Theodor Poletsky, un psychotique du tennis guéri, fit paraître une œuvre autobiographique du plus haut intérêt : *La vie n'est qu'un faux rebond*. Parlant en connaissance de cause de la psychopathologie du tennis, il confirma les aspects les plus inquiétants de l'interprétation freudienne de l'hypocondrie associée à la raquette percée (''Quoiqu'on fasse, certaines raquettes seront toujours mauvaises'') et découvrit la véritable étiologie des ampoules et durillons.

LE CHARME DISCRET DE LA RAQUETTE

Je sais quel intérêt vous éprouvez pour l'Homme aux rats. Ayant déjà eu l'occasion d'évoquer ce cas lors de trois précédents congrès, j'ai reconnu mon échec à comprendre les obsessions de cet homme. Vous vous en souvenez peut-être, un collègue officier avait décrit à ce patient une forme de torture orientale dans laquelle on contraignait un homme à s'asseoir sur un seau contenant des rats vivants. Peu après avoir entendu cette histoire, le patient développait une étrange symptomatologie : chaque fois qu'il levait le bras au-dessus de la tête pour servir, un peur panique le saisissait. Ce n'est que l'année dernière, tel un détective débrouillant un complexe écheveau d'indices, que j'ai découvert l'étonnante signification de cette inhibition au service. Me souvenant que certaines raquettes étaient cordées en boyau de chat, je fis l'association rat-chat et, rempli d'espoir, fixai immédiatement un nouveau rendez-vous à mon patient. De fait, il ne tarda pas à m'avouer en éclatant en sanglots que chaque fois qu'il lançait la balle en l'air et levait le bras pour servir, il entendait un ''miaou''. Ces miaulements sonnaient si vrais, ils étaient si insistants qu'il était persuadé d'être au bord de la folie et avait même envisagé de se trancher la gorge avec un rasoir électrique. Ayant compris l'absurdité d'une telle pensée, il avait retrouvé son sang-froid et était allé consulter un spécialiste.

Dès que le patient reconnut qu'il était victime d'hallucinations auditives, la cure put progresser à un rythme accéléré. Ayant projeté son érotisme anal sur le tamis de sa raquette, il éprouvait pour elle une excitation sexuelle de type masochiste.* Naturellement, l'idée d'une telle perversion lui étant odieuse, il avait refoulé cette attirance morbide pour sa raquette et lui avait substitué cet étrange symptôme névrotique. Lorsqu'il accepta l'interprétation adéquate de son complexe de la raquette, ses ''miaous'' hallucinatoires s'espacèrent et ses fantasmes félins disparurent progressivement. Il a toujours quelque difficulté avec son premier service et entend de temps en temps des ''ouah ! ouah !'', mais cela ne semble pas le gêner outre mesure...

Conférence sur l'Homme aux rats,
prononcée par Freud devant l'Institut de Psychanalyse
du tennis le 22 avril 1928

* Cf. l'ouvrage (récemment traduit et publié en français, N.d.T.), *Hauts les courts*, qui remporta le Prix Pulitzer en 1923. Il s'agit d'une curieuse parabole due à un excentrique de génie, Saul Goldberg. Comptant parmi les premiers patients de Freud, il commença sa carrière en rédigeant une défense et illustration du pénis miniaturisé. Peu à peu, cependant, son œuvre s'imprégna de libido tennistique, ainsi qu'en témoigne ce pamphlet tardif : ''Ça vibre dans le manche''. Sans doute, perdit-il par la suite ce don pour la facétie, car il mourut sans un penny et oublié de tous.

UNE BOÎTE DE BALLES NEUVES

Chaque partie est un nouveau commencement, un gage d'espoir. D'une façon générale, les impuissants chroniques ont besoin de ces moments exceptionnels. Ouvrir une boîte de balles neuves semble redonner courage aux névrotiques les plus atteints. Cet acte renferme la promesse illusoire de la réussite et du succès.

Entrez sur le court du bon pied,
1929

LA MÉLANCOLIE DU VENDREDI MATIN

Dans ce travail mémorable, Freud expose le cas d'un individu qui, depuis sept ans, jouait régulièrement au tennis tous les vendredis matin. Un beau jour, son équipe se disloqua. Le ciel lui serait tombé sur la tête qu'il n'en aurait pas été plus affecté ; il venait de perdre le grand amour de sa vie.

... Le cœur brisé, il se rendait chaque vendredi matin à son club et pleurait sur le court désespérément vide. Ne trouvant plus aucun intérêt à la vie, il dépérissait de jour en jour. Empruntant certains traits au travail du deuil et d'autres au processus de régression, sa mélancolie prit un tour inattendu : il en vint à imaginer que les autres joueurs lui avaient fait faux bond, parce qu'il n'était pas assez fort pour eux. Il devint hanté par l'idée que son jeu était minable.

Confronté à un cas aussi délicat, je n'hésitai pas à prendre le contre-pied des techniques analytiques classiques. Grâce à une habile manipulation de l'environnement, je réussis à réunir tous les ex-membres de l'équipe du vendredi et demandai à chacun d'eux de bien vouloir confirmer, en présence de mon patient, ses soupçons les plus graves. Tous déclarèrent qu'il jouait comme un pied et ferait mieux de se reconvertir au croquet. Ces basses attaques déclenchèrent en lui une saine colère qui le libéra définitivement de son besoin masochiste d'auto-accusation. Convaincu que les autres l'avaient pris comme souffre-douleur de leurs propres frustrations, il entra aussitôt dans l'équipe du jeudi. Ainsi prit fin son attachement libidinal masochiste au groupe du vendredi.

Eléments pour une métapsychologie du tennis,
1930

Anna Freud était une mordue du tennis. Lorsque l'Empire austro-hongrois se trouva à court de balles durant la Première Guerre mondiale, Freud remédia aux manifestations dépressives de sa fille en état de manque, en jouant avec elle des parties imaginaires. La photo ci-dessus, prise au cours de l'un de ces matches, montre clairement la faiblesse d'Anna pour les coups bas (ce qui, symboliquement parlant, expliquerait pourquoi elle est restée vierge si longtemps).

POINTS REJOUÉS

Les joueurs qui ont tendance à se réfugier dans le rôle d'arbitre ont, enfants, souvent joué les médiateurs au sein de leur famille, apaisant les conflits, rapprochant les parties opposées. Leur grand talent de conciliateur les a investis du besoin de paraître neutres, inoffensifs, audessus de tout soupçon. Par tempérament, ils sont à l'opposé de ces individus qui aiment provoquer leurs adversaires en lançant : "Voilà Monsieur Bonze-Hau-Fils" (d'après un ancien philosophe extrême-oriental surnommé le Salomon chinois). Cette obscure interjection se rapporte au fait que le "véritable" gagnant d'un point rejoué le gagnera à nouveau, grâce à une mystérieuse opération du surmoi. Le recours injustifié à cette formule dénote une personnalité vicieuse et un manque total de fair-play. La tricherie calculée, les compliments hypocrites et toutes les autres formes de guérilla ne visent qu'à neutraliser un adversaire qui trouve un plaisir sadique à remuer le couteau dans la plaie.

Le caractère ambivalent, 1931

TENNIS EXISTENTIEL

S'interroger sur le sens et la valeur de la vie, notions dépourvues de tout substrat dans la réalité, est le signe patent d'un équilibre psychique précaire. Ces questions ne font que révéler une viscosité de la libido qui, faute de pouvoir s'écouler librement, stagne, fermente et assombrit les pensées. Je crains que ces explications manquent un peu de profondeur ; peut-être suis-je pessimiste parce que nous sommes déjà à la mi-septembre, que les arbres perdent leurs feuilles et que, d'ici deux semaines, les courts en plein-air auront fermé leurs portes.

Lettre à Léopold Konigstein, 1931

MARELLE

Quant au conflit inconscient qui conduit aux fautes de pied, il a pour origine un fantasme lascif bien précis : le désir répréhensible de sauter (une femme) à pieds joints.

Les fautes de pied, 1932

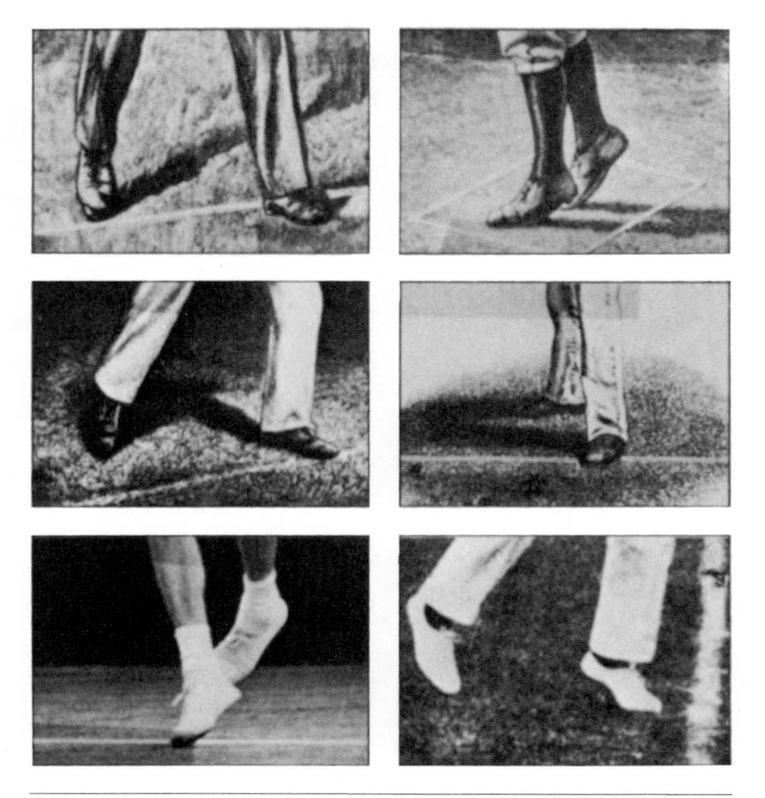

MAUVAIS JOUEUR

Un idéal du moi négatif se manifeste par un manque d'esprit sportif et un comportement hargneux sur le court.* Si l'idéal du moi représente les idéaux et les valeurs auxquelles nous aspirons, son négatif reflète une régression vers une image dévalorisée du moi. De façon générale, les mauvais joueurs étaient des enfants énurétiques, ronchons et chapardeurs. Leur perpétuelle insatisfaction vis-à-vis d'eux-mêmes les pousse à rendre tous ceux qui les entourent aussi malheureux qu'eux. Ce sont de viles créatures qu'un club digne de ce nom se doit d'exclure ; leur cas ne mérite même pas les circonstances atténuantes d'un diagnostic psychiatrique.

Le syndrome de McHenry, 1933

* Freud tiendrait son intérêt pour le tennis d'un psychanalyste sauvage hongrois, le docteur Alfred Hitchsky, dont l'ouvrage visionnaire en trois volumes : *Soyez bath avec votre raquette* (1933) est considéré comme une étape décisive dans l'humanisation de ce sport hautement compétitif. Malheureusement, en 1935, Hitchsky succomba à une grave dépression nerveuse, et ses deux dernières œuvres, *Ping, Pong et Pang*, (une comédie musicale qui ne connut qu'une seule représentation à Budapest) et *Fenêtre sur court* (un roman policier dont l'intrigue tourne autour d'un jeu au filet particulièrement agressif), sont assurément le produit de bouffées délirantes.

UNHEIMLICH

La plupart des grands dictionnaires de langue allemande consacrent une longue rubrique aux subtiles connotations, dénotations et implications du mot *Unheimlich*. Pour mettre fin à cette confusion, je dirais qu'il s'agit là d'un terme difficile à définir qui renvoie à un désir aussi subit qu'inexplicable : le désir de jouer mal sans aucune raison. Dans ces cas-là, je suggère le recours à une technique directe, la manœuvre Heimlich, qui galvanise les énergies libidinales du joueur découragé et lui redonne le goût de la victoire.

Origine de la manœuvre Heimlich,
1934

TROPHÉES

... Collectionner les trophées est une façon de satisfaire l'instinct de thésaurisation. Il ne fait pas de doute que l'accumulation de ces parures du moi vient compenser l'éjaculation précoce chez l'homme et la frigidité chez la femme. Plus ces individus, à qui apparemment tout réussit, font étalage de leurs trophées, plus il convient de suspecter une vie sexuelle indigente. De même que les femmes se servent de leur partenaire masculin en double, et parfois de leur raquette, comme d'un prolongement phallique, de même l'exhibition des trophées n'est-elle bien souvent qu'un pitoyable cache-misère.

Le moi secret, 1934

Coupe Freud décernée chaque année au patient qui avait subi les transformations les plus radicales par suite d'une cure de tennis. Pendant cinq années consécutives (de 1903 à 1907), cette coupe fut remportée par Eva von R. En 1908, jugée guérie, l'heureuse lauréate fut finalement disqualifiée, le jury estimant qu'elle restait en traitement à seule fin de gagner la coupe. Il s'en suivit une immense controverse internationale sur la question de savoir si un tel acharnement thérapeutique était vraiment un signe de santé mentale. Freud résolut le problème en supprimant la coupe et en distribuant à ses plus fervents admirateurs des badges sur lesquels on pouvait lire : "J' ♥ Freud".

ORIGINE DE L'INFIRMITÉ DES ORGANES FÉMININS

Dans ce passage, Freud présente les associations libres d'une petite fille qui déclare : ''Si ma sœur se marie, elle aura un bébé''. Cette enfant sait que lorsqu'on se marie, un bébé ne tarde pas à venir. Elle dit savoir beaucoup d'autres choses encore : par exemple, que les choux poussent dans le jardin et que Dieu a créé le monde.

Ce que cette fillette s'efforce d'exprimer, ce n'est pas que les bébés poussent dans le ventre de leur mère. Cela, tout le monde le sait. Bien plutôt, ses remarques révèlent à quel point la femme est victime, dès l'âge le plus tendre, des préjugés sexistes de notre société. Lorsqu'on empêche une petite fille de posséder sa propre raquette de tennis et de prendre des leçons particulières comme son grand frère, sa libido tennistique se transforme en libido érotique et donne naissance à des fantasmes précoces de grossesse et d'accouchement. Entravé dans son développement, l'amour originaire pour le tennis se sublime et se sexualise au point de devenir méconnaissable. Cette profonde altération des aspirations secrètes de la petite fille (être comme son frère) fait le lit de l'humiliation narcissique et des complexes d'infériorité. Si leur Besoin pressant de tennis n'était pas si durement réprimé, si leur énergie accumulée trouvait des voies pour se décharger, les femmes seraient moins jalouses des hommes et de leur service trois pièces...

Associations d'une enfant de quatre ans,
1934

Grâce aux données anthropologiques qu'il avait recueillies, Freud s'aperçut que le tabou de l'inceste était beaucoup plus puissant chez les primitifs que chez l'homme civilisé. D'où le sévère avertissement qu'il adressa à ses contemporains : ''Ne jouez jamais au tennis avec votre femme. Prendre pour partenaire sexuel un membre de sa propre famille est équivoque ; le prendre pour partenaire au tennis est franchement inadmissible''.

A LA CONQUÊTE DU MOI

La cure analytique devrait, dans toute la mesure du possible, se dérouler dans des conditions de stricte abstinence : pas de rapports sexuels, et dans certaines circonstances, pas de tennis ni de *rakhmones*.* C'est la privation qui a engendré la maladie et contraint le patient à trouver des satisfactions substitutives dans de spectaculaires symptômes incapacitants. Il faut combattre le feu par le feu. Pour retrouver son équilibre psychique, le sujet déchiré entre le sexe et le tennis doit momentanément renoncer à ces deux grandes pulsions. Ainsi le moi réunifié trouvera-t-il en lui la force nécessaire pour se libérer des émois érotiques qui le minent et affronter la vie avec une bonne raquette.

Communication de Freud devant
ses frères du B'nai Brith, 1935

* ''Pitié'' en yiddish.

L'ÉVOLUTION PSYCHOSEXUELLE DE L'HOMME

Chez l'enfant, le plaisir sexuel est tout d'abord lié à l'excitation de la cavité buccale qui accompagne l'alimentation, puis à celle de l'anus et, enfin, à celle des organes génitaux. Le stade ultime de l'évolution libidinale intervient vers quarante ans, lorsque le sujet adulte reconnaît le caractère secondaire de son activité sexuelle et investit l'essentiel de son énergie psychique dans le tennis. Certes, on a pu constater que des hommes de cinquante et même de soixante ans conservaient un certain appétit sexuel, mais il s'agit là de cas exceptionnels. D'une façon générale, c'est vers la quarantaine que s'établit de manière définitive le primat du tennis et que le désir érotique culmine dans l'extase du coup qui va droit au but.

Plasticité de la libido et renoncement à la sexualité, 1935

SOUS L'EMPIRE DU TENNIS

Du jour où il devient une drogue, le tennis perd ses significations électives. Seul un observateur chevronné peut déceler le processus pathologique par lequel un joueur devient de moins en moins décontracté et acquiert un jeu compulsif. La présence chez un patient de l'un ou l'autre de ces symptômes indique une forme grave de la maladie dont le pronostic ne peut être que très réservé : passer toutes ses vacances d'été en stages de tennis ; ne se déplacer qu'avec une demi-douzaine de raquettes ; prendre des leçons ou jouer à des heures indues (avant 9 heures du matin). Etre ''sous l'empire du tennis'' n'est pas en soi un signe de névrose ; ce besoin est présent chez presque tous les adultes de sexe masculin.

Le cas de l'Homme au boyau est significatif. Cet individu était dans un tel état de tension, qu'il ne pouvait penser à autre chose qu'au tennis. Ni la masturbation régulière, ni ses trois heures de tennis quotidien ne parvenaient à assouvir sa pulsion. La nuit, il décrochait son téléphone et, protégé par l'anonymat, abreuvait ses victimes d'insinuations obscènes du genre : ''Le manche est-il assez gros ?'', ''Votre raquette est-elle bien tendue ?'' Alertées, les autorités locales firent appel à moi. Après plusieurs séances, je réussis à le délivrer de ses manies névrotiques en lui trouvant un travail dans une boutique spécialisée, où il peut tendre les raquettes des dames et garder ses fantasmes pour lui.

Petites manies des obsédés du tennis, 1935

LE LOOK

La libido qui s'investit dans les sports de compétition est un mélange de pulsions agressives et auto-érotiques. Le plaisir ainsi gagné s'exprime à travers une maîtrise du corps qui vient corriger les infériorités et les déficiences dont l'origine remonte à l'enfance du sujet. Ce phénomène est particulièrement visible chez les individus de sexe masculin et féminin dont la première préoccupation sur un court n'est pas tant de gagner que d'avoir le look. Citons parmi les principaux symptômes : tenues du dernier cri, raquettes à 3 000 francs, lacets de couleur et housses de raquettes brodées. Cet accent mis sur l'apparence extérieure est typique d'individus ayant souffert d'acné juvénile ou de timidité excessive pendant l'adolescence.

Le corps comme objet narcissique, 1935

LA BALLE

Qu'est-ce qu'une balle ? En dernière instance, la balle est une représentation symbolique de la mère ou, mieux, du sein maternel. Pour l'enfant, lancer une balle et se la faire rapporter est une façon de surmonter son angoisse d'abandon. L'association inconsciente entre la balle et l'angoisse générée par les allées et venues de la mère se manifeste avec force dans la panique qui s'empare du joueur de tennis qui ne sait plus où est passée sa balle. Agissant comme si sa vie était en jeu, il doit impérativement interrompre la partie, jusqu'à ce qu'elle soit retrouvée. Le fait que certaines balles disparaissent pour de bon possède une signification symbolique particulière, mais je ne saurais pas dire laquelle exactement.

La recherche symbolique du sein maternel,
1935

INSTINCTS MEURTRIERS

Au tennis, un joueur crie "bonne" ou "out" et, en l'absence d'arbitre, sa parole fait foi. Etant donné qu'il y va de l'intégrité morale de chacun, la plupart des joueurs s'efforcent de concilier leurs instincts meurtriers avec l'exigence de probité en pratiquant le mensonge inconscient. Il est donc souvent difficile d'obtenir la preuve concrète de cette distorsion particulière de la réalité. Néanmoins, est présente dans les souvenirs refoulés de presque tous les joueurs cette comptine bien connue : "Dans le doute, annonce-la out."

Que le tennis est un sport brutal et cruel est confirmé par les études archéologiques les plus récentes qui montrent que les premiers jeux de balle étaient joués avec des crânes humains. D'ailleurs, encore de nos jours, pour parler de la figure, les Français ne disent-ils pas familièrement "balle", "bille" ou "boule" ?

Les balles d'un rebond supérieur que nous utilisons aujourd'hui sont une parade que la civilisation a inventée pour contenir et maîtriser nos instincts cannibaliques. En réalité, nous continuons à désirer la mort de nos adversaires, mais nous érigeons toutes sortes de défenses pour donner le change et paraître civils et courtois. Pour peu qu'il se donne la peine d'assister à un match de tennis, n'importe quel observateur objectif conviendra que le mal et la haine demeurent deux puissantes forces qu'il faut sans cesse réprimer.

La face cachée de l'âme humaine, 1935

Succombant à l'attrait de la médecine positive, Freud mit au point un fameux test de projection qui porte son nom. Interdit aux Etats-Unis jusqu'en 1935 parce que jugé trop obscène, ce test comporte une série de questions délicates du genre "Quelle perversion infantile très répandue vous évoquent ces prises ?" "Avez-vous déjà fait secrètement l'expérience d'une prise lascive ?" Le lecteur remarquera que les prises illustrées par ces photos appartenant à la collection personnelle de Freud reflètent un large éventail de troubles.

L'ANATOMIE, C'EST LE DESTIN

La raquette a souvent été qualifiée de ''grand égalisateur''. L'emploi de raquettes surdimensionnées est le signe incontestable de problèmes d'ordre sexuel. En particulier, les femmes qui achètent des raquettes *king-size*, dures et métalliques ont une nature phallo-agressive et étaient généralement jalouses du flot urinaire de leur frère. Elles s'efforcent avec acharnement de compenser leur anatomie défaillante (l'envie du pénis) en urinant debout, en portant des jeans avec des braguettes ou en épousant un homme plus petit qu'elles. Sur le court, au lieu de s'en tenir aux règles, elles crient ''première balle bonne''.

Le code inconscient, 1935

LE PERDANT CHRONIQUE

Perdre de façon systématique est une forme dérivée d'encrogenèse (ou fait de se souiller). L'humiliation de la défaite possède sans doute une signification masochiste latente. Généralement dotés d'un surmoi implacable, les individus fixés au stade anal, à savoir ceux qui étaient des enfants désobéissants et constipés, s'arrangent toujours pour se placer dans des situations susceptibles d'apaiser leur culpabilité insconsciente. La cure, si elle est menée à son terme, libère leur énergie libidinale et l'on constate une amélioration rapide de leur jeu. Cependant, il faut soigneusement distinguer le joueur qui perd en raison de causes psychogènes de celui qui, par sa constitution, n'est pas physiquement apte à participer à des sports de compétition. L'un des critères du diagnostic différentiel réside dans la forte corrélation constatée entre un apprentissage tardif de la propreté sphynctérienne et le nombre de fautes involontaires commises plus tard sur le court. Jouant selon ses véritables capacités, l'individu naturellement peu doué éprouve rarement de la honte ou des remords. En revanche, le joueur névrotique fixé au stade anal attribue ses mauvaises performances à la fatalité extérieure. La cause doit en être recherchée dans les conflits infantiles du sujet incapable d'assumer le poids de la faute. Adulte, il joue en double, afin de pouvoir s'en prendre à son partenaire, ou se choisit un conjoint maladroit qu'il peut rendre responsable de tous ses malheurs.

Culpabilité et caractère anal, 1936

PSYCHOLOGIE DU TENNIS

Le joueur rusé n'hésite pas à faire flèche de tout bois et à jouer sur les sentiments de culpabilité de son adversaire. Complimenter sans arrêt les coups de l'autre le met en état de stress. L'auto-réprimande peut aussi apaiser une conscience qui se sent coupable de toujours gagner et troubler l'adversaire qui croit vous avoir blessé dans votre amour-propre. Si, de temps en temps, vous déclarez "bonnes" ses balles "out", plus tard, à un moment crucial du jeu, vous pourrez en toute innocence appeler "out" une balle "bonne". Habituez-vous à dire avec sincérité : "Bien joué" ; ensuite, vous pourrez vous permettre de déclarer "out" pas mal de balles-lignes et vous en tirer à bon compte.

De la guerre psychologique entre
les lignes blanches, 1936

SERVICE RENDU

La rivalité entre père et fils d'un côté, entre mère et fille de l'autre, s'intensifie au moment de la puberté, lorsque les capacités physiques des jeunes joueurs commencent à égaler l'expérience des parents. Etant donné que dans son inconscient, il assimile la victoire au meurtre du père, l'enfant s'attend à voir fonctionner la loi biblique du talion (œil pour œil...). Déchiré entre de puissants sentiments de culpabilité et un désir de vaincre tout aussi fort, il perd son sang-froid et joue n'importe comment. Le passage de l'adolescence à l'âge adulte se trouve considérablement facilité par les pères qui n'éprouvent pas un besoin excessif de rester au pouvoir ou qui sont de médiocres joueurs.

Parricide et manque de synchronisation au service, 1937

LANCE-BALLES

Les individus qui aiment se mesurer à des machines à lancer les balles ne sont à l'aise que dans des univers froids et stériles. Leur histoire personnelle révèle une régularité des habitudes, une constance du caractère et une douceur des sentiments qui se sont transformées en esprit de rébellion anal-agressif. Ces joueurs propres et méthodiques ont tendance à souffrir de constipation chronique. Leur fantasme préféré : avoir une hygiène corporelle douteuse.

L'amour pour un objet inanimé, 1937

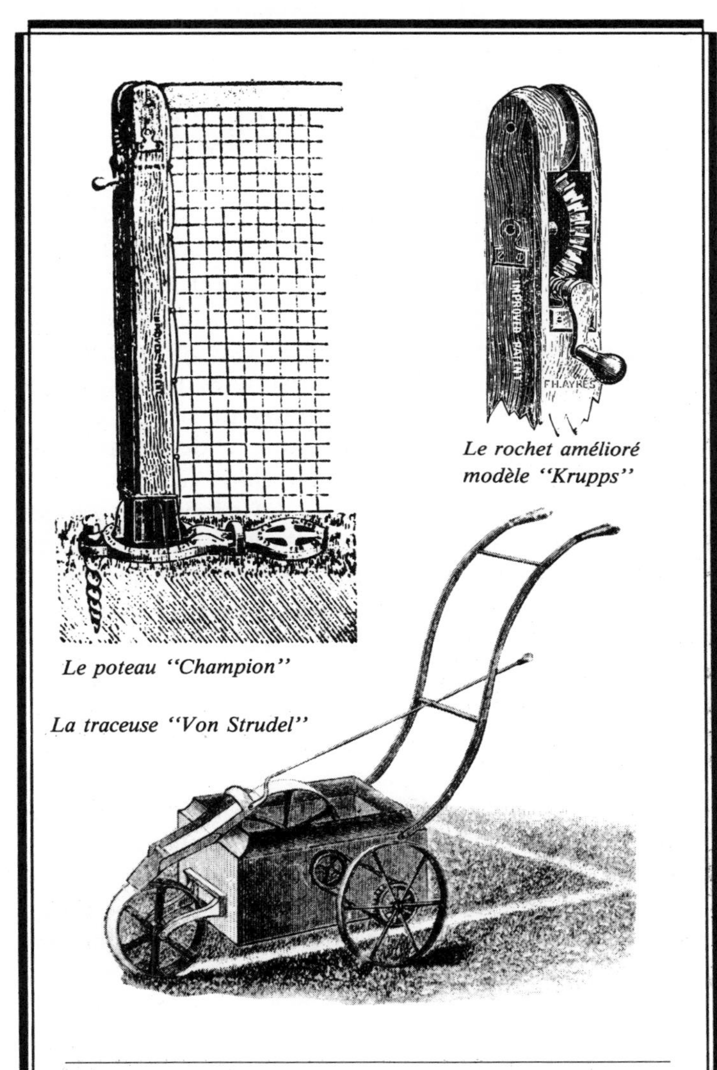

Le rochet amélioré modèle "Krupps"

Le poteau "Champion"

La traceuse "Von Strudel"

Dans la longue marche de l'humanité vers la civilisation, peu d'épopées se comparent à l'héroïque invention du treuil, du poteau et de la traceuse. En 1906, 1907 et 1910, trois candidats analystes se virent décerner le prix Nobel d'éducation physique pour ces innovations proprement révolutionnaires.

HOMOSEXUALITÉ ET TENUE BLANCHE

Seule la théorie des pulsions de tennis refoulées permet de comprendre l'étiologie des névroses. L'étude des facteurs déclenchants a révélé l'existence de conflits entre les appétits sexuels du sujet et ses résistances à la sexualité. Personnellement, je me trouve obligé de remonter sans cesse plus loin dans l'histoire individuelle de mes patients et travaille désormais sur des matériaux liés à la toute petite enfance. A cette occasion, j'ai découvert que les scènes de séduction dont ils font si souvent état n'étaient que le produit de leur imagination. Certes, l'enfant désire que ses parents l'invitent à jouer au tennis et le guident tendrement dans ses premiers efforts, mais ce besoin d'amour et de reconnaissance se heurte, dans l'inconscient, à la crainte de paraître efféminé dans des vêtements blancs. Je proposerais qu'à l'avenir les joueurs de tennis portent des tenues multicolores, afin de circonvenir les interdits du surmoi relatifs à la couleur blanche qui, on le sait, connote depuis les temps les plus reculés une invite homosexuelle.

Pour en revenir aux fantasmes de séduction, je dirais qu'ils favorisent des tendances à la passivité et à la dépendance. Si les prises sont si nombreuses, c'est parce qu'elles répondent au besoin d'être pris en charge. A peine né, l'enfant s'accroche au sein de sa mère et ne veut plus lâcher prise. Les difficultés rencontrées au sevrage s'expliquent par le fait que l'enfant n'est pas sûr que la phase suivante de son développement lui apportera davantage de satisfactions. Toutefois, comme il ne peut pas indéfiniment dépendre de sa mère, il consent à apprendre la prise masturbatoire à une ou à deux mains. Parvenu à l'adolescence, il entend fréquemment ses parents lui dire : "Prends-toi en main". Cette injonction vise à corriger la tendance naturelle de chacun à rester passif devant les événements et à fuir ses responsabilités. Changer constamment de prise ne sert à rien ; tout au plus est-ce le symptôme d'un refus de grandir. Le tennis renferme les grands secrets de la vie. Chacun doit y trouver son propre rythme. Notre nostalgie pour la vie intra-utérine ne fait qu'entraver l'épanouissement de nos potentialités sportives.

Le désir de régression, 1937

ODEURS DE COURT

Depuis que l'homme a opté pour la position debout et que son odorat a subi une involution, c'est non seulement son érotisme anal, mais toute sa sexualité, qui est victime du refoulement. Toutefois, cette séparation d'avec le monde animal n'est en fait que lubricité à peine déguisée. La position des aisselles par rapport au visage, notamment pendant le service, donne lieu à un afflux de stimuli générateurs d'un discret plaisir sensuel. Si l'on y ajoute les effluves émanant des divers accessoires, tels que bandeaux et poignets en éponge, on s'aperçoit que l'érotisme olfactif constitue un puissant aphrodisiaque pour ceux qui souffrent de *Weltschmerz* (mal du siècle) et plus généralement de neurasthénie. Les rêveries préorgasmiques suscitées par ce type de stimulations font naître en nous un sentiment cosmique d'appartenance à la nature et de fraternité à fleur de peau. L'érotisme moite est donc bien un avatar de la sexualité en ce qu'il nous fait prendre conscience de l'affection sincère qui nous lie les uns aux autres...

La nature préhistorique de l'homme, 1937

ACTES MANQUÉS

Dans presque tous les cas, oublier le score est un acte intentionnel. En revanche, changer le score en sa faveur est souvent le signe d'une ambition dévorante et d'un besoin inconscient de gagner. Ce comportement trouve ses racines dans de profondes rivalités fraternelles jamais surmontées et dans des désirs homicides mal refoulés. Inversement, le joueur qui attribue systématiquement à son adversaire un score plus élevé que celui qu'il mérite exprime sa culpabilité d'avoir toujours été le chouchou de la famille. Convaincu qu'il a eu plus que son dû, il s'efforce inconsciemment d'expier son vampirisme, et toutes les occasions sont bonnes. Si, en plus, il égare fréquemment sa raquette, on peut en conclure qu'il n'a pas la maturité nécessaire pour aborder de front ce genre de questions et préfère passer son temps au bar plutôt que sur le court. Ne vous laissez pas abuser ! L'acte manqué n'est qu'un piètre échappatoire. D'une manière ou d'une autre, l'inconscient trouve toujours le moyen de s'exprimer.

Lapsus tenniensis, 1937

TYPES LIBIDINAUX

La libido étant la manifestation dynamique dans la vie psychique de la Pulsion de tennis, nous pouvons distinguer trois grands types libidinaux : l'érotique, le narcissique et l'obsessionnel.

Appartiennent au type érotique, ceux qui éprouvent des orgasmes multiples lorsqu'ils participent à des tournois. Leur passion pour ce sport est si grande, qu'il leur arrive fréquemment de jouir par anticipation, alors qu'ils se trouvent encore sur le parking de leur club. Lorsque le temps est inclément, ils sont sujets à de violentes crises de dépression et demeurent inconsolables.

Dans le type narcissique, le moi et le surmoi font bon ménage et l'on ne constate pas ce même primat des besoins érotiques. La libido s'investit électivement sur la personne propre. Le sujet vit dans un univers peuplé de fantasmes glorieux sur l'excellence de son jeu, l'élégance de ses coups, la splendeur de son look. Poussé à son extrême chez la femme narcissique, cet amour de soi engendre le syndrome de la diva, dans lequel le sujet se détache peu à peu du monde qui l'entoure et substitue aux plaisirs sains du jeu lui-même accessoires divers et tenues de stylistes en vogue.

Le joueur obsessionnel est le plus répandu. Il est perpétuellement tracassé par son jeu, change souvent de raquette et de cordage, a toujours l'impression qu'il aurait pu mieux faire et, en général, se sent coupable de n'avoir pas été à la hauteur de son partenaire. En réalité, il aime ce genre de soucis parce qu'il lui est difficile de prendre un intérêt sincère à autrui ou à toute autre activité. Ces manifestations criantes de frustration ne sont que des formes hautement sublimées d'un érotisme tennistique débridé.

Quelques types de caractères dégagés par la psychanalyse du tennis, 1937

OBSESSIONS CARACTÉRISÉES

Pendant des années, Freud s'évertua à rendre compte d'un certain nombre de phénomènes jusque-là inexpliqués de la vie quotidienne. Ainsi, certains individus ne peuvent servir que s'ils ont trois balles à leur disposition. D'autres s'inquiètent de savoir d'où elles viennent. D'autres encore n'arrivent pas à se concentrer parce qu'ils vérifient sans arrêt que leur braguette est bien fermée. Certains joueurs souffrent d'insomnie s'ils ne possèdent pas un assortiment complet de raquettes et ne savent pas à tout moment où elles se trouvent. Après avoir, dans un premier temps, rapporté ces étranges obsessions à la différence anatomique entre les sexes, Freud fit un beau jour cette étonnante découverte : toutes possèdent en fait une même signification latente et sont orientées vers un même but.

L'obsession est un substitut du pénis, tout comme le pénis est le symbole de la première raquette qu'on ait possédée — la raquette de l'enfance à jamais perdue. Ce fantasme renvoie au pénis de la mère, à l'existence duquel l'enfant, et plus tard l'adulte, veut croire contre vents et marées. L'obsession permet au sujet de remporter une victoire symbolique contre la menace de castration. Vérifier la bonne fermeture de sa braguette est une façon de se rassurer que tout est bien à sa place et va pour le mieux dans le meilleur des mondes. L'obsessionnel se sent extrêmement menacé par les femmes. Pour échapper à l'homosexualité, il les dote d'attributs qui en font des objets sexuels éminemment désirables et réalise son fantasme inconscient — elles possèdent effectivement un pénis — en choisissant pour partenaires des femmes agressives et dominatrices qui réussissent à tout coup leurs premiers services. Par ailleurs, il est convaincu qu'elles détiennent un stock inépuisable de balles sous leur jupe de tennis.

Le mystère sous la jupe, 1938

L'ÉDUCATION SEXUELLE DES PETITES FILLES

Au stade phallique du développement sexuel de la femme, la zone érogène privilégiée est le clitoris. Par la suite, celui-ci doit céder, totalement ou en partie, son excitabilité et donc son privilège au vagin. Pour faciliter cette transition, le rôle des parents peut être déterminant. Ainsi, en offrant dès son plus jeune âge à leur petite fille une

Freud n'a jamais parfaitement résolu la question des Pulsions infantiles du tennis. "La différence entre l'hyperexcitation et la privation traumatisante est aussi mince qu'un cheveu," écrivait-il en 1934. "Seul le filet sépare la sagesse de la folie."

raquette de tennis et en lui apprenant la prise à deux mains, l'aideront-ils à cesser de jouer en solitaire.* Comme chacun le sait, l'oisiveté est mère de tous les vices. Posséder une raquette comme substitut du pénis adoucira le traumatisme inévitable de sa découverte, à savoir que, contrairement à son frère, elle a été castrée. Entrée dans la période de latence, elle renoncera à s'identifier à sa mère considérée comme un être inférieur, abandonnera la masturbation clitoridienne au profit du tennis et projettera sur son père le désir d'avoir un bébé-pénis. Particulièrement délicate, cette phase comporte des risques (homosexualité, passage à l'acte de désirs œdipiens, angoisse de castration) que ne viennent compenser ni la distraction ni la sublimation engendrées par l'intérêt pour le tennis.

Le développement sexuel de la femme, 1938

* Dans un article antérieur, *Perversions tennistiques déguisées* (1909), Freud affirmait qu'il n'était pas judicieux d'apprendre aux enfants, garçons ou filles, à serrer la main en tendant leur raquette. (''Je crois aux vertus de l'éducation, mais ce serait corrompre les enfants que de les exposer si jeunes aux pratiques interlopes du tennis'').

POITRINE, SUSPENSOIRS ET VOLÉE BASSE

Pour les femmes à la poitrine opulente, le coup droit est plus facile à exécuter que le revers. Il est en effet pratiquement impossible d'aller au bout de son mouvement, quand deux montagnes se dressent si orgueilleusement devant soi. Par ailleurs, le port d'un suspensoir est le châtiment que doit endurer l'homme dont les balles sont trop basses.

Quelques conséquences de la différence anatomique entre les sexes, 1938

CRUELS REVERS

... Quant à moi, je n'ai plus l'ardeur d'autrefois pour jouer en simple. Une carapace d'indifférence m'enveloppe peu à peu, dont je me borne à constater l'existence sans me plaindre. Sans doute est-ce à mettre au compte du conflit qui oppose les deux pulsions — de vie et de mort — jadis postulées par moi, à moins que cela ne soit simplement dû aux difficultés que je rencontre à ajuster mon coup...

Lettre à Lou Andreas Salomé, 1938

COURTS COUVERTS

Parmi les inventions architecturales qui permettent désormais aux joueurs de s'adonner à leur sport favori durant les longs mois d'hiver, certaines sont chargées de significations symboliques particulièrement intéressantes. Ainsi, la bulle attire-t-elle principalement les joueurs fixés au stade oral qui refusent obstinément de passer à l'âge adulte. Ces individus s'ébattent bruyamment dans de grands sacs embryonnaires, tandis que leurs concitoyens gagnent leur vie à la sueur de leur front. Appartenant pour la plupart à la gent féminine, ils gambadent dans leur tenue du dernier chic, roucoulent avec enthousiasme et, de façon plus générale, se conduisent comme une bande d'adolescents attardés. Considérant leurs rendez-vous hebdomadaires sur le court comme plus importants que leurs devoirs envers leurs enfants et leur conjoint, les femmes négligent la cuisine et le ménage. Dans ces conditions, on ne s'étonnera pas que je nourrisse les craintes les plus vives quant à l'avenir de l'homme moderne.

Réflexions sur l'avenir de l'homme, 1938

POUR CONCLURE

J'espère que le lecteur aura pu mesurer, grâce à ce modeste recueil, l'immense contribution de Freud à la théorie de la sexualité et à son *aggiornamento*. Nombreux sont ses travaux dans lesquels il expose avec une force et une limpidité exceptionnelles sa thèse centrale : le tennis est une pulsion naturelle dont le refoulement a coûté cher à notre civilisation. En dépit d'un style parfois ardu et en apparence décousu, ses écrits, où frémit la passion d'une grande découverte, celle de l'Inconscient tennistique, se lisent comme un grand roman d'aventure. N'est-ce pas, en effet, un plaisir toujours renouvelé que de suivre pas à pas le développement de la psychanalyse du tennis, depuis les premiers articles de Freud (*Le filet est trop haut*) jusqu'aux derniers (*L'avenir du service à la cuillère*), en passant par ceux de sa maturité (*Aventures dans un no-man's land*) ?

Sa critique prophétique des interdits psychogènes que fait peser sur nous le monde moderne renferme un espoir de salut : "Nous devons façonner notre environnement, diriger son évolution, maîtriser le progrès technique", écrivait-il en 1938. "Loin d'appartenir à deux mondes séparés, les raquettes et les hommes se situent aux deux extrémités d'un même continuum. Tout comme l'humanité a découvert qu'elle était une partie de la nature, de même comprendrons-nous un jour qu'un lien intime nous unit à nos raquettes. Elles sont en nous, nous sommes en elles. Lorsque nous aurons admis cette vérité incontournable, nous nous rendrons compte que notre vain combat pour dominer l'univers n'est en réalité qu'un combat pour nous dominer nous-mêmes."

Konzepten dargelegt und habe meine Zweif
aus der starken Beschaffenheit dieses Momen
naten von einer fernöstlichen Methode der
der Ratten auf das Gesäß gebunden w
hatte, entwickelte ein halbwegs Tennis-
ß, wurde er vor zuerst geheilt. Und
entwandt, habe ich noch
dieser „Tennis-Gene
der Tennisschläger-
Ratten-Verbindung
einem neuen Natur
daß mein Patient
wenn er den Mom
sei so analistisch n
wahrscheinlich zu
mit dem Kosinu

1.
2.
3.
4.

scher
6-
zer

Absurdität dieses Gedankens bewußt
ionelle Hilfe gesucht. Als sich der
t hatte, löste sich dieser verwirk
te der Patient auf den Tennisschl
masochistische sexuelle Zwange
e Form von Perversion komme
Und um seine morbide Libido f

ANNEXES

Lorsque le bruit courut que je préparais un livre sur la Théorie du tennis dont Freud avait tenu à garder le secret de son vivant, des parents et amis des fidèles du Cercle du mercredi se mirent discrètement en rapport avec moi et me proposèrent de consulter lettres, notes et journaux inédits en leur possession. Parmi ceux qui m'ont si généreusement autorisé à me servir de documents jusqu'ici inaccessibles, je tiens à remercier : J. Herman, M. Romer, E. Shapiro, R. Mendelsohn, L. Bleuler, H. Deutsch, Sally Kovalchik et Lynn Strong. Les souvenirs personnels que renferment ces chroniques éclairent d'une lumière nouvelle la dimension profondément humaine de Freud.

I. Matériaux anecdotiques

DOUBLE MIXTE. En réalité, Freud aimait les femmes et leur vouait une grande admiration. Toutefois, il trouvait le double mixte si assommant qu'il aurait, dit-on, inventé de toute pièce sa théorie de l'"envie du pénis", à seule fin d'avoir un prétexte pour s'en tenir à distance. "Certes, il faut juger les femmes avec indulgence, mais ce n'est pas une raison suffisante pour jouer avec elles", confiait-il à Alfred Adler. "Leur capacité à sublimer leurs instincts est des plus limitées ; en outre, elles ne cessent de piailler et volent les balles de leur partenaire." Un jour, un visiteur américain, apparemment surpris de découvrir dans ce grand homme un esprit grincheux, lui demanda : "Seriez-vous du même avis si les deux partenaires étaient de force égale ?" Laconique, Freud lui répondit : "Cela est matériellement impossible. Il se doit d'exister une certaine inégalité, et je considère la supériorité de l'homme comme un moindre mal."

UNE TRAGÉDIE AUTRICHIENNE. On ne compte plus les théories visant à expliquer pourquoi Anna, la séduisante fille de Freud, ne s'est jamais mariée. La plus plausible, cependant, affirme qu'elle était trop attachée à son illustre père pour pouvoir fonder son propre foyer. Les fortes éruptions cutanées dont elle souffrait chaque année à la veille du Tournoi Père-Fille d'Innsbruck indiquent assez clairement l'existence de graves conflits intérieurs. A cet égard, l'anecdote transparente que rapporte Theodor Reik est fort significative : "Tu en as de la chance, maman, d'avoir épousé Papa, disait une petite fille en soupirant ; moi, je vais devoir me marier avec un étranger."

LE DÉSIR SECRET DE SIGMUND FREUD.

Si l'on en croit ceux qui le connaissaient bien, Freud aimait raconter l'histoire suivante. Parce qu'il avait un revers particulièrement faible, il avait mis au point une technique qui lui permettait de changer sa raquette de main — tactique qui marchait fort bien et était particulièrement efficace pour renvoyer les balles lobées qui tombaient juste sur la ligne de fond.* Un jour, quelqu'un demanda à un certain Mendel, qui fréquentait le même club de tennis, s'il connaissait le professeur Freud.

— Le professeur Freud ? je n'ai jamais entendu parler de ce monsieur.

— Pourtant, c'est l'illustre fondateur d'une école pour comprendre l'inconscient, et il est professeur de médecine à l'université, insista son interlocuteur.

— Comme c'est bizarre, reprit Monsieur Mendel, mon gendre enseigne l'anthropologie à l'université et je connais tous ses collègues. Attendez une seconde, son nom ne m'est pas complètement inconnu... Ne serait-ce pas ce type avec une barbe qui renvoie les balles lobées de la main droite ou gauche, indifféremment ?

Avec un petit rire forcé, Freud concluait : "Vous voyez ? Nul n'est prophète en son pays." Et d'avouer en rougissant qu'il aurait volontiers troqué toute sa notoriété contre une seule victoire au prestigieux Tournoi de Vienne sur terre battue.

* Freud aurait eu l'idée de cette technique en regardant son père attraper les papillons, aussi bien à l'atterrissage qu'au décollage. Quoiqu'il en soit, sa maîtrise du lob et son ambidextérité étaient les seuls traits saillants d'un jeu par ailleurs fort médiocre.

DROITS DE L'HOMME. Freud craignait que la psychanalyse, accusée d'être une science "juive", sombre à jamais dans l'oubli. Bien que l'idée lui fût insupportable, il ne savait quelle mesure prendre pour y remédier, car *nolens volens* la majorité de ceux qu'elle attirait étaient juifs. Toutefois, du jour où il conçut sa théorie sur la Pulsion de tennis, ce souci disparut. En mariant la psychanalyse juive avec un noble sport anglo-saxon, il avait redoré le blason de ses théories. Plus tard, le scandale soulevé par l'introduction de balles de couleur dans des clubs où le blanc était de rigueur acheva de le rassurer. Comparé à ce déchaînement de passions, l'antisémitisme paraissait bien inoffensif. En particulier, l'arrivée de balles jaunes (qualifiée en son temps de "Péril jaune") mit fin à la naïve vision victorienne selon laquelle le tennis n'était qu'un jeu. Comme Freud aimait à le dire : "C'est une thèse qui a perdu toute crédibilité."

LA SÉANCE EST TERMINÉE. Freud se ménageait cinq minutes de pause entre chaque séance. Tandis qu'un patient entrait dans la salle d'attente, le précédent sortait par une porte dérobée. Pour préserver le caractère confidentiel de ces visites, Freud réglait la circulation de sorte qu'ils ne se rencontrent pas. Aussi fut-il fort étonné par l'étrange éthique qui présidait à la relève sur les courts de tennis.

En effet, dès qu'il entreprit d'étudier la psychologie du tennis, il fut frappé par le comportement des joueurs qui quittaient le court pour être remplacés par d'autres. Les modes de transition étaient divers, chacun reflétant un autre aspect de l'inconscient : ceux qui souffraient de rétention anale s'efforçaient de marchander quelques précieuses minutes supplémentaires ("Encore deux-trois balles pour finir le jeu") ; les paranoïaques se contentaient d'affirmer sur un ton qui ne souffrait pas de réplique :

"C'est mon court" ; les obsessionnels chipotaient : "Il n'est pas exactement quatre heures" ; les psychopathes contre-attaquaient : "*Votre* montre avance" ; les passifs-agressifs quittaient le court sans qu'on le leur demande, mais avec une lenteur calculée, prenant le temps d'échanger quelques propos amicaux et mettant au moins dix minutes pour rassembler leurs affaires.

Freud comprit très vite que son intérêt pour ces questions était une sorte de défense contre sa propre maladresse à gérer les états transitionnels. Il dut admettre que son éducation rigide l'avait mal préparé aux situations qui exigent savoir-faire, souplesse et bonne humeur naturelle. Un peu plus tard (cf. *Ma vie et la psychanalyse du tennis*, 1938), il s'aperçut que sa timidité de surface avait des causes plus profondes : "En finir avec le patient de trois heures pour prendre le suivant n'a d'égal que mon impatience sexuelle. Je me sens si coupable de mes sentiments égoïstes que je m'en défends en posant au martyre. Au tennis, j'attends poliment en bordure de court que les joueurs comprennent qu'il est grand temps de 'décoller'. Je me demande si cette stupide inhibition est vraiment universelle".

Cependant, lorsqu'il se rendit compte à quel point il s'était investi dans le tennis, il adopta une autre attitude, nettement plus agressive. Quand venait son heure, il se dirigeait sans hésiter vers le poteau, tournait la manivelle et abaissait le filet jusqu'au sol. Pour ceux qui n'auraient pas encore saisi le message, il allait se placer sur la ligne de service et croisait les bras d'un air péremptoire. En matière sexuelle, il se contenta de pratiquer l'abstinence pendant les trente années suivantes, tout en fantasmant sur sa belle-sœur qui dormait dans la pièce d'à-côté.

II. Chronologie des œuvres de Sigmund Freud relatives à la psychanalyse du tennis

La névrose d'échec (1896)
Aladin ne donnait pas sa lampe aux chats (1897)
Les secrets du tennis (1897)
La raquette Prince : symbole et symptôme (1899)
Le sexe est dans un cul-de-sac (1902)
La disparition du complexe d'Œdipe (1903)
Le moi et le zéro (1903)
L'interprétation des rêves de tennis (1905)
Introduction à la psychanalyse du tennis (1906)
Les aspects auto-érotiques du simple (1907)
Le nirvana à portée de main : deux heures de tennis et un bon cigare (1908)
Le déclin de la rage de vaincre (1908)
Le filet est trop haut (1908)
Perversions tennistiques déguisées (1909)
De la décadence morale propre à notre temps (1909)
Mon retour à la terre battue (1909)
Les fixations masturbatoires et la prise occidentale (1910)
Lisse ou rugueux ? (1910)
Quelques perversions sexuelles révélées par le revers à deux mains (1910)
L'agonie de la victoire, l'extase de la défaite (1911)
L'ennemi intérieur (1912)
L'envie du pénis et la raquette Prince (1912)
Le tabou primitif et la faute de pied (1912)
Nouveaux exercices d'échauffement (1912)
Passions charnelles et coup foireux (1913)
Projet d'étude scientifique du tennis (1914)
Résistances au lob (1914)
On mange un enfant (1916)

L'énigme de la boulette de matzah (1916)
Pensées pour notre temps par une pluvieuse après-midi de mai (1916)
Aventures dans un no-man's land (1917)
La fellation et la volée courte (1923)
Psychopathologie du double mixte (1923)
Le court est mon divan (1924)
Etranges symptômes tennistiques (1924)
Le mythe de l'ace (1925)
Complément à la théorie du rêve de tennis (1925)
Les théories sexuelles des enfants (1927)
Entrez sur le court du bon pied (1929)
Eléments pour une métapsychologie du tennis (1930)
Le caractère ambivalent (1931)
L'inceste est une affaire de famille (1931)
Les fautes de pied (1932)
Origines traumatiques du complexe d'Electre (1932)
Balles poilues et duvet pubien (1933)
Le syndrome de McHenry (1933)
Origine de la manœuvre Heimlich (1934)
Associations d'une enfant de quatre ans (1934)
La morale civilisée du tennis et la maladie nerveuse des temps modernes (1934)
Sachez tirer parti de vos balles ratées : la force du remords (1934)
Le moi secret (1934)
Le corps comme objet narcissique (1935)
Petites manies des obsédés du tennis (1935)
La face cachée de l'âme humaine (1935)
Le cauchemar de la partie de tennis annulée : essai sur l'obésité, la perversion et le suicide (1935)
La recherche symbolique du sein maternel (1935)
Plasticité de la libido et renoncement à la sexualité (1935)
Le code inconscient (1935)
De la guerre psychologique entre les lignes blanches (1936)
Culpabilité et caractère anal (1936)
Lapsus tenniensis (1937)
Quelques types de caractères dégagés par la psychanalyse du tennis (1937)

L'amour pour un objet inanimé (1937)
La nature préhistorique de l'homme (1937)
Parricide et manque de synchronisation au service (1937)
Le désir de régression (1937)
Ma vie et la psychanalyse du tennis (1938)
Quelques conséquences de la différence anatomique entre les sexes (1938)
Réflexions sur l'avenir de l'homme (1938)
Le développement sexuel de la femme (1938)
L'avenir du service à la cuillère (1938)
Le mystère sous la jupe (1938)
L'effet se rapproche quand la prise se relâche (1938)

TABLE

Achevé d'imprimer le 12 mai 1986
sur les presses de l'Imprimerie «La Source d'Or»
63200 Marsat
Dépôt légal 2e trimestre 1986
Imprimeur n° 2028